NHKにようこそ！

滝本竜彦

角川文庫 13804

目次

序

この世の中には「陰謀」が存在する。

しかし、他人の口からまことしやかに語られる陰謀は、九十九パーセント以上の確率で、ただの妄想、もしくは意図的な大嘘にすぎない。

本屋に行けばよく目にする「日本経済をダメにしたユダヤの大陰謀！」「宇宙人との密約を隠すCIAの超陰謀！」などという本も、すべてはつまらない単なる妄想である。

だが――

それでも我々人類は「陰謀」が大好きだ。

陰謀。

その甘くせつない響きに、我々はどうしようもなく魅了されてしまうのである。

たとえば、「ユダヤ陰謀論」が作り出される過程を例にとって考えてみよう。

ユダヤ陰謀論を書こうとしている人間は「どうして俺は貧乏なんだ？」「どうして生活が楽にならないんだ？」「どうして俺には彼女ができないんだ？」等々の、ひどいコンプレックスとルサンチマンを抱えている。彼の精神と肉体は、絶えず外部と内部からの圧迫に晒《さら》されている。

そして鬱積《うっせき》する怨念《おんねん》、尽きることのない社会への憎悪。怒り。

しかしそれらの怒りは、そのほとんどが自分自身のふがいなさに由来している。貧乏なのは、自分に金を稼ぐ能力が無いためだし、彼女がいないのは、自分に魅力が無いからだ。だが、その事実を認めて自らの無能さを自覚する作業には、かなりの勇気を必要とする。人間ならば誰しも、自分の汚点を見つめたくはない。

そこで陰謀論者は、自らのふがいなさを外部に投影する。

自らの外に、架空の「敵」を作り出してしまう。

敵。

僕らの敵。社会の敵。

敵がどこかで悪い陰謀を繰り広げているおかげで、俺は幸福になれない。

陰謀のおかげで、俺に彼女ができない。

そう！　悪いのは全部ユダヤ人だったのだ！

ユダヤ人がどこかで悪だくみしているから、俺は幸せになれないのだ！

くそっ、ユダヤ人め！　許さないぞ！

……まったく、ユダヤ人もいい迷惑である。

すべての陰謀論者は、もっと現実を見つめるべきなのだ。

「敵」は外部に存在しない。「悪」は外部に存在しない。あなたがダメ人間なのは、すべてあなたにその責任がある。決してユダヤ人の陰謀ではないし、ＣＩＡの陰謀でもないし、当然の事ながら、宇宙人の陰謀でもない。

まずはそのことを、しっかりと肝に銘じて生きていくべきだろう。

「…………」

だが、

しかし、それでも——

ごくごくまれな確率で、本物の「陰謀」を悟ってしまった人間が存在する。今この瞬間にも水面下で進行中の陰謀を、この目で目撃してしまった人間がいる。

それは誰だ？

俺だ。

一章　戦士の誕生

1

俺が「陰謀」の存在を知ったのは、寒い寒い一月の夜だった。

六畳一間の狭いアパートで、俺はコタツに潜っていた。

辛《つら》くわびしい、夜だった。

新世紀だというのに希望は見えない。雑煮を食っても涙がにじむ。

大学中退の二十二歳無職男に、冬の寒さは身に染みた。

タバコの臭いが壁に染みついた、脱ぎ散らかされた衣服が床に散乱した、そんな汚い部屋の真ん中で、俺は何度もため息を吐く。

「……はぁ」

どうしてこんなことになってしまったのか？

考えることは、それればかりだ。

「……あぁ」と、呻《うめ》く。

そろそろ現状を打破しないと、完璧《かんぺき》に落伍《らくご》する。人類社会から落ちこぼれてしまう。

ただでさえ大学中退というドロップアウトだ。早く職を探して社会に復帰しなければ。

しかし――どうしても、それができない。

なぜか？　どうしてなのか？

答えは簡単だ。

ひきこもりだからである。

今、もっともホットな社会現象の「ひきこもり」。それが俺だ。

今、もっとも大流行な社会現象の「ひきこもり」。それが俺だ。

一説によると、現在の日本には、およそ二百万人ものひきこもり人間が棲息《せいそく》しているという。二百万人と言えば、恐ろしい数だ。街頭で石を投げればひきこもりに命中する。

……いや、やっぱりそんなことはないか。ひきこもり人間は外に出歩かないからな。

と、ともかく。

俺はまさしく、現在日本で大ブレイク中の「ひきこもり」なのである。

しかも、かなりのベテランひきこもりだ。

外出は週に一度。コンビニに食料とタバコを買い出しに行くその時だけ。

友人の数は、ゼロ。睡眠は一日十六時間。

ひきこもり継続期間は、今年で早くも四年。

実績は、大学中退。

……まったく、どこに出しても恥ずかしくない、もはやプロフェッショナルとも言うべき驚異のひきこもりである。

実際、よそのひきこもり人間には、そうそう簡単に負ける気がしない。

もしも「全世界ひきこもりオリンピック」などが開催されたのならば、俺はかなりの好成績を収める自信がある。

ウォッカに逃避するロシアのひきこもりにも、ドラッグに逃避するイギリスのひきこもりにも、室内で銃を乱射するアメリカのひきこもりにも——どんな国のどんなひきこもりにだって、俺は見事に勝つ自信があるぜ。

——そう。

ゴッドハンドの異名を持つ極真空手の創始者、かの大山倍達《ますたつ》氏は、若い頃に山籠《やまご》もりをして精神力を鍛え、世界最強の空手家になったという。その観点から考えてみると、数年間にわたってアパートに籠もり続けてきたこの俺も、いままさに、限りなく世界最強の男に近い。

そこで、ものは試しだ。

ビール瓶を用意して、それを手刀で割ってみよう。

「えやっ！」

＊

俺は血まみれの右手に包帯を巻きながら、やはりコタツに座っていた。

どうも最近、頭の調子が悪い。一日十六時間もの睡眠を取っているからだろうか？ すでに半年以上も他人との接触を断っているからだろうか？

一日中、頭の中がもやもやと霞《かす》んでいる。トイレに行くその足取りも、妙におぼつかない。

が、そんなことはどうでもいい。

当面の問題は、このどうしようもないひきこもり生活を、いかにして打破するかということだ。

そう。

俺は一刻も早く、この爛《ただ》れたひきこもり生活から抜け出さねばならないのだ。

人類社会への復帰を！

ドロップアウトからの立ち直りを！

働いて、彼女を作って、人間らしい生活を送るのだ！

このままでは、廃人だ。このままでは、人間失格だ。

いまこそ革命を！

……が、しかし、「今日こそは外に出て、バイト探しに励もう」などという決心は、十分もたたないうちに霧散してしまう。

なぜか？　なぜなのか。

それはおそらく、あまりにも長いひきこもり生活によって、俺の精神が根底から腐れ果ててしまっているからなのだろう。

このままではまずい。早いところ、なんとかせねば。

そこで俺は、自らの弱り切った精神を立ち直らせるために、通販で取り寄せた「白いクスリ」を摂取してみることにした。

白いクスリと言っても、なにも覚醒剤《かくせい》などではない。合法の、ちょっとした幻覚剤である。

しかし合法とはいえ、その効果はＬＳＤにも匹敵するとかしないとか。脳内のセロトニンレセプターに直接作用し、この世のものとは思えない強力な幻覚をもたらしてくれるらしい。

そうなのである。

この鬱々《うつうつ》とした現状を打破するには、もはやクスリの力にでも頼る他は無い。だからこそ俺は、このクスリの強力幻覚作用によって、自らの弱り切った脳味噌《のうみそ》を激しく刺激してやろうと試みているところなのであった。

かの澁澤龍彥《しぶさわたつひこ》は言った。「宗教的な修行によって得られる悟りも、薬物によって得られる悟りも、それらは結局のところ、同じ物である」とかなんとか、そのようなことを言った。

ならば俺は、薬物で悟りを得よう。

悟りを得て、ひきこもりから脱出するのだ。

この弱々しい心をうち砕き、強く逞《たくま》しい精神力を我が物に！

だから俺はクスリを使うぜ。

コタツの上に、白いクスリを耳掻《みみか》き一杯ぶん、ちょこんと載せて、それを一気に鼻から吸い込むぜ！

2

あぁ、楽しいなぁ、愉快だなぁ。

床には脱ぎ捨てた衣服が散乱してて、台所には汚れ物が堆積《たいせき》してる、この狭くて汚い六畳一間で、俺はまさしくトリップだ！

ゆらゆら壁が蠢《うごめ》いているよ。エアコンが深呼吸しているよ。

ステレオのスピーカーさんも、お喋《しゃべ》りしてる。

あぁ、みんな生きてるんだ。世界はひとつなんだね。

冷蔵庫さん、こんばんわ。

コタツさん、俺を温めてくれてありがとう。

ベッドさん、あなたの寝心地は最高ですよ。

テレビさんも、パソコンさんも、いままで皆さん、どうもありがとう。

「佐藤さん！　早くひきこもりから脱出してね！」

あぁ、皆さん、俺のことを応援してくれるのですか。

ありがとうありがとう。こんなに嬉《うれ》しいことはありません。

俺はもう、大丈夫です。皆さんの温かい励ましのおかげで、俺はもう、ひきこもりから抜け出します。

見ていてください。

ほら、これからね、俺は外に出てきます。

今は深夜の三時ですけど、そんなこと、気にしません。

俺はこれから、この部屋を抜け出します。広大な世界へと、脱出します。

でも、外は寒いから、ちゃんと身支度しなくちゃね。

よいしょ。服を着て、帽子を被《かぶ》って、コートを羽織って——よし、準備オッケー。

さぁ、これから俺は、外に行って来るよ。
もう、俺はもう、ひきこもりなんかとは、おさらばするよ。
じゃあね。
さらば。
……が、しかし、なぜかアパートのドアは開かなかった。
なぜだ？
なぜ、ドアが開かない？
そうして俺は、不安に駆られた。
――何者かが、俺の脱出を妨害している。
「そうだよ。だって佐藤さん。外に出ちゃったらひきこもりじゃなくなるもの」
スピーカーがそんなことを言った。
つまり――？
「妨害、されてるのよ」
スピーカーが語ったその一言が俺にもたらした衝撃は、到底計り知れない。
妨害。
そう言えば、思い当たる節もあった。
たとえば、俺がひきこもり生活を始めた、あの頃のことを思い出してみよう。

……あれは、暑い暑い夏のある日だった。

俺は学校へと続く坂道を、首筋に不快な汗を流しながらもてくてくてくてく歩いていた。

道に、人通りは少ない。

買い物帰りの主婦。そして、俺と同じく学校を目指す若者。

ほんの数人とすれ違っただけである。

だが——確かにその日、学校への道のりは、いつもと違った。

通り過ぎる人が皆、俺を見て、確かに、確実に、クスリと、クスクスと、小さな、小さな、それはほとんど耳には聞き取れない、だけど確かな——

そう。

俺を見て、彼らは確かに嘲笑《ちょうしょう》していたのだ！

主婦が、そして学生が、俺を見て笑っていたのだ。

その事実に、俺は愕然《がくぜん》とした。

なぜだ？　なぜ俺が笑われなければならない？

『……ねぇ、見てよあの人。おかしいよねぇ』

『気持ち悪いよね。外を歩かないで欲しいよね』

『ふふふ、馬鹿みたい』

それは決して、おそらく、たぶん、俺の単なる被害妄想などではない。

耳を澄ませば、確かに聞こえた。彼らが俺を嘲笑《あざわら》う、その声が。

それ以来だ。

それ以来、俺は外に出るのが恐ろしくなったのだ。

つまり——

スピーカーが言った。

「そうだよ。佐藤さんを笑った人たちは、妨害工作員だったんだよ。決して佐藤さんの被害妄想なんかじゃないよ。奴らは、佐藤さんの傷つきやすくてナイーブな心を利用して、ひきこもりに仕立てあげたんだよ」

あぁ。

そうだったのか！

その瞬間、長らく俺の精神を覆い尽くしていた深い暗闇は、ついに取り払われた。

ようするに、俺はいままで、何者かからの心理操作を受けていたのだ！　そう考えれば、すべてのつじつまが合う！

……だけど、誰が何の目的でそんなことを？

わからない。

——わからない。

と、そのとき、ふいにテレビがこんな事を呟《つぶや》いた。

「NHKは皆様の受信料によって運営されております」

いつもならば気にも留めないその一言は、しかしそのとき、なぜか俺の心をかき乱した。

NHK。

そのアルファベット三文字。

そこに何か重大な秘密が隠されているような気がしたのだ。

それは決して、単なる誇大妄想やくだらない戯言《ざれごと》ではない。いかに今の俺が強力幻覚剤でトリップしている真っ最中といえども、冷静な判断力までをも失っているわけではない。むしろ頭脳は、この二十二年間生きてきたその生涯の中でも、最高潮に激しく回転している。

1＋1＝2。2＋2＝4。ほら、論理的な思考もバッチリだ！

だから、だから考えるんだ。

今こそ俺は、考えるべきだ。

NHK。その三文字に、俺に関する巨大な秘密が隠されている。

それはあくまで単なる直感にすぎなかったが、もはやその真理に疑いは持てない。その着想は、すでに天啓と呼んでも差し支えはない。悟りと言っても過言ではない。

しかし——あぁ。

脳裏に浮かぶのは、NHKとの蜜月《みつげつ》。

思えば俺は、小さい頃からNHKが好きだった。

小学生の頃は、「不思議の海のナディア」を見た。凄《すご》く面白いアニメだったよな。

……ん？

アニメ？

アニメと言えば、オタクだ。

オタクと言えば、人付き合いが苦手だ。

人付き合いが苦手な人間は、どうしてもひきこもりがちになる。

――そ、そうか。

そうだったのか！

ここにきて、ついにNHKとひきこもりが、誰の目にもはっきりとした直線によって連結された。

つまりNHKは、あのような面白いアニメを放映することによって、アニメオタクを量産し、ひきこもりの大量出現に一役買っていたのである。くそ！　なんて卑劣な！

だが――もはや俺は奴らの陰謀に気づいてしまった。

ここまで来たら、謎の完全解明まであと一歩だ。

俺はコタツの上に突っ伏して、ひたすら頭を回転させた。

クスリの作用によって、視界がグルグル回っている。部屋中の家具が、口々に俺を応援している。――そうなのだ。皆の助けを得た俺は、もはや何者にも負けはしない。いつまでもいつまでも、卑怯《ひきょう》な妨害工作などに追いつめられているわけではない。いまこそ反撃の時なのだ。俺をいままで嘲笑っていたこと、それをお前らに後悔させてやる。

――あと一歩なのだ。

もう少しで、すべての謎が、解けるのだ。

だからテレビよ、コタツよ、パソコンよ――俺に力を貸してくれ！

「…………」

そうして――

ついにそのとき、

俺はひとつの天啓を得た。

それはすなわち、このようなことわざによって、俺の脳内に送り込まれてきた。

「名は体を表す」

つまりNHKという名称それ自体が、かの組織の真実を物語っているらしい。

NHKといえば、日本放送協会である。

しかし、それだけでは意味が通じない。

だから、もうひとつの意味、隠されたダブルミーニングが存在しているのだろう。

「……NHK。NHK」

俺はぶつぶつとその三文字を繰り返し続けた。

「Nは、日本。ならばHは……」

……そうか。

簡単な話じゃないか！

ついに謎が解明された。俺はすべての真相を悟った。

「Hはひきこもり！　すなわちNHKとは、日本ひきこもり協会の略だったのだ！」

＊

その日から俺の戦いは始まった。

幻覚剤によるトリップ中に、アパートのドアが開かなかったのは、単に鍵《かぎ》をかけていたせいにすぎなかったが、しかしそんなことは極々些細《ささい》な問題にすぎない。

ともかく俺は、戦い抜くだろう。

NHKを倒すその日まで、俺は雄々しく戦い抜く。

俺は決して、負けはしない。

……たまに死にたくなるけどさ。

二章　ジハード

1

NHKと戦う決意を固めたあの夜から、すでに数カ月が経過していた。

アパートの窓から近所の公園を眺めれば、そこに咲くのは満開の桜。それは陽気で、どこまでも美しい。

しかし勝利は見えなかった。勝てる気配は感じられなかった。

そもそも敵がどこに潜んでいるのかを、俺は知らない。

NHK本部ビルを爆破すればいいのか？

いいや、そんなことをしたら警官隊に射殺されてしまう。だから却下だ。

大切なのは、己の敵がNHKであると知っていること。それを信じ込むこと。信じるフリだけでもしておくこと。ただそれだけに違いない。軽率な行動は慎むべきであった。

だが――このままでは一向に状況が変化しない。

薄暗い六畳一間の中にまで遠慮なく侵入してくる春の気配に、最近の俺はますます落ち込んでいた。

隣室の学生は入れ替わり、通学路を歩くのは晴れやか笑顔の新入生。窓を開ければ涼やかな春風が、そして桜の花びらが、皆の笑い声が——

あぁ、なんてことだ。俺だけがひとり、春の陽気から取り残されている。いや、春のムードに浮かれる全世界から、むしろ積極的に嘲笑《ちょうしょう》されている。そんな気配がある。

もう一年近く、まともに他人と接触していないのだ。

このままでは日本語の話し方を忘れてしまいそうな気がする。社会復帰がどんどん遠ざかっていくような気がする。しかし、それはマズイ。実にまずい。そろそろ本気でひきこもりから脱出しないと、社会的に世間から葬り去られてしまう。だからまずは、自立することを考えよう。

——というわけで、俺は先日、コンビニから就職情報誌を購入してきた。

読んでみた。無理だと思った。

三流大学中退の資格ゼロ男。それが俺だ。

あぁ、無理だ。絶対無理だ。俺が会社の人事担当ならば、絶対に俺のようなひきこもり人間などを採用したりはしない。この就職難のご時世に、俺のような使えない人間をほいほいと働かせてくれる会社など、あるわけがない。

が、遅かれ早かれ、人間誰しもいつかは働かなければならない。それは事実だ。いつまでも親のスネを齧《かじ》っているわけにはいかないのだ。

『大丈夫！　大学やめたって資格を取れば余裕で就職できるよ。今、情報処理検定試験とTOEFLとワープロとパソコンとソロバンと、その他色々な資格の勉強してるところだから、もう少しだけ仕送り頼むよ！』などといった最悪な大嘘で、親を騙《だま》し続けているわけにもいかないのだ。

——だから、そう。

タイムリミットが、刻一刻と近づいている。

それはおそらく、あと数ヵ月。

親が仕送りを止めるその前に、俺は自らの甘ったれた性格を叩《たた》き直し、この腐ったひきこもり生活から脱出しなければならない。

NHKを、うち倒さなければならない。

しかし、できるのか？　俺にそんな大それたことができるのか？

アパートの外は危険で一杯だ。車が猛スピードで走り回り、杉花粉が飛び交い、たまには通り魔などが出没する。

そんな危険な世界へと飛び立つことができるのか？　本当に大丈夫なのか？

……正直言って、はなはだ不安だ。

というか、無理だ。

俺のようなダメ人間に、まともな社会生活など送れるわけがない。

昨日、久しぶりに朝の七時というまともな時間に目を覚ましたものの、ベッドに横になったまま、昼すぎまで物思いに耽《ふけ》ってしまったこの俺に、まともな社会生活なんて不可能だ。

その後、軽く昼寝をしようと思って目を閉じたら、今朝の五時までぐっすり熟睡してしまったこの俺に、まともな社会生活なんて不可能だ。

今日見た夢をフロイト的に分析してみようとしたものの、「高校時代の先輩と、狭い部室で不純異性交遊にふけった」という夢の内容は、「高校時代の先輩と、狭い部室で不純異性交遊にふけりたかったという無意識を表している」という、それのどこが夢判断だ、そのまんまじゃないかという結果に終わってしまったこの俺に、まともな社会生活なんて不可能だ。

朝飯を食おうと冷蔵庫を開けたら、なにひとつ食料が入っていなかったこの俺に、しかしそれでも空腹を我慢して風呂《ふろ》に入ったら、石鹸《せっけん》もシャンプーも切らしていたこの俺に

――

目覚ましテレビの「乙女座は恋愛運がアップ。思いがけない人から告白されるかも」という占いに「一日中部屋から出ないのに、どうやって告白されるんだ？　え？　できるも

んならやってみろ」と、どこまでも寂しいツッコミを入れるこの俺に——

まともな社会生活なんて、不可能だ。

あああ。

死のうかな！

＊

——死のうかな！

だが、俺は死なない。なぜならば、俺は強くて逞《たくま》しい戦士だからだ。ＮＨＫを倒すその日まで、俺は地べたを這《は》いずってでも生き延びる所存である。

勝つか、負けるか。それはいまだにわからない。しかし必要なのは立派な勇気だ。

だから勇気を振り絞り、まずはひとまず朝食を作ろう。

ベッドからのそりと起きあがり、押入れの中から非常用のカップラーメンを取り出す。

冷蔵庫の上に置いてあるポットから、お湯を注ぐ。

そして待つ。

隣室の２０２号室からかすかに鳴り響いてくるアニメソングに耳を傾けつつ、俺は三分、気長に待った。

……どうでもいいことだが、今年の春に新しく入居してきた隣人は、どうもアニメが好きらしい。本当にどうでもいいことだが、もう学校の始まる時間だろう。アパートを出なくていいのだろうか。

「おジャ魔女どれみの主題歌に朝っぱらから聴き惚《ほ》れてんじゃねぇぞ、遅刻するぞ」などと忠告してやりたい気もしたが、もちろん俺はそんなことをしない。隣人の生活など、知ったことではない。

と、そんなことを考えているうちに、あっという間に三分が経過した。

カップラーメンの完成だ。

いただきます。

だが──

そのときだった。

いままさに割り箸《ばし》をカップに突っ込もうとしている俺を、「ピンポンピンポン」と激しく鳴り響く呼び鈴が妨害した。

──何者か？

もちろん俺は慌てなかった。俺の朝食を邪魔する唐突な訪問者、それはおそらく電気料金の集金人だろう。ライフラインを止められては困るので、俺はおとなしく割り箸を置き、パジャマ姿のまま玄関へと向かった。

ドアを開け放ち、早口で言う。

「あぁ電気、電気ね。払いますよ。ええ今すぐに――」

だが、俺の言葉はそこで途切れた。来訪者の顔に貼り付いている微妙な笑みと、彼女の全身から立ち上っている微妙なオーラから、このオバサンが電気料金集金人などではありえないと、素早く気づいたからだ。

「お忙しいところ申し訳ありません」

来訪者は、言った。

朝日に照らされたオバサンは、笑顔だった。

「わたしども、このような冊子をお配りしているのですが――」

オバサンは、二冊の小冊子を俺に手渡した。

その表紙には、こう書かれていた。


目を覚ませよ！

どるあーがの塔

春の微風《そよかぜ》が、開け放たれたドアから爽《さわ》やかに吹き込んでいた。

ぽかぽか陽気で、穏やかな、四月の午前のことだった。

ていなかった。

2

三田ハウスの201号室。その外と内とを隔てるドアは、いまや完全に開放されていた。布教に励むオバサンと、俺。その二者を隔てるものは、もはやなにひとつとして残されていなかった。

——と、そこで俺は気づいた。

底の知れない宗教的笑みを湛《たた》えたオバサンの、その右斜め後方。そこにもう一人の女性が立っていることに気づいた。

二人がかりで俺を勧誘するつもりなのか。戦力比は一対二か。卑怯《ひきょう》じゃないか!

だが——俺はさらに気づく。もう一人の宗教勧誘員、彼女の若さに俺は気づく。

四月の午前という優しい日差しの今時分に、なぜか彼女は真っ白な日傘を目深く差していた。その日傘に隠れて顔は見えないが、しかし、若い。オバサンとは違い、彼女はずいぶんと若い。俺よりも年下であろうことは確かだ。

日傘を差して、淡い色の地味な長袖《ながそで》ワンピースに身を包んだ彼女は、いかにも宗教らしい清楚《せいそ》な雰囲気を漂わせていた。オバサンの後方を守るかのように、すらりと無言でそこに佇《たたず》んでいるのだった。

「…………」

思わず目頭が熱くなってきた。

このような十七、八(推定)の年端もいかぬ娘が、新興宗教などという阿呆《あほう》な団体に弄《もてあそ》ばれている。それを思うと、彼女に対する同情の念を禁じ得ない。

あぁ、まったく、なんてことだ。

まだまだ遊びたい盛りだろうに。オシャレをして、渋谷《しぶや》などを歩いて、不純異性交遊に励みたい年頃だろうに。しかし、宗教と言えば厳しい戒律だ。汝《なんじ》、姦淫《かんいん》を犯してはならない。だから彼女は苦しんでいる。苦しんで苦しんで苦しんでいる。

夜ごと火照《ほて》る体を持てあます彼女。――だけど神様があたしを見ている。だからダメよこんな事をしちゃあ。だけど、でも、どうしても高ぶる気持ちを抑えきれない。……あぁ、なんてあたしはイヤらしい娘なのかしら。神様が見てるっていうのに。懺悔《ざんげ》します神様!

などなどといった、性欲と戒律のダブルバインドに、いつも彼女は苦しんでいるに違いない。このまえ読んだフランス書院文庫に、そのようなことが書かれていたので、俺の推理に間違いない。

――と、するとだ。

俺はふとひらめいた。

と、すると、そのような観点から考えてみた場合、宗教というのも、意外にそれほど悪い存在ではないのかもしれない。むしろ素晴らしいと言っても過言ではないのかもしれない。

……あぁ、そうだぜ。

実に卑猥《ひわい》じゃないか。よくよく考えてみれば、それはまさしく最高じゃないか。

たとえば脳裏に浮かぶイメージ。——それは年長の厳しいシスターに折檻《せっかん》される少女。そして巻きおこる魔女裁判。ついには激しい拷問が。そこは石畳の地下室。拷問係が「お前が魔女かどうか確かめてやる」と言って三角木馬を用意し！　な、なんと鞭《むち》を！　バシッ！　バシッ！　バシッ！　これでもか！　これでもか！　これでもか！　ひいっ！　堪忍を！　お慈悲を！　もう許して！　しかし彼女の哀願は聞き入れられることなく、いつ終わるとも知れぬ陵辱の宴《うたげ》は、どこまでもどこまでも制限無くエスカレートしていくことなのであったのであった！

ファンタスティック！

サティスファクション！

スタンディングオベーショ——

「——あのう」

気がつくと、目の前に立ったオバサンが、俺を不安げに見つめていた。

「大丈夫ですか？」

「…………」

宗教少女に対するあまりに強い感情移入によって、どうやら俺は、しばし傍目《はため》にもおかしく見えるほど放心していたらしい。

なんてことだ。

急いで毅然《きぜん》とした態度を立て直そうと試みる。

「……えへ、えへん」

軽く咳払《せきばら》い。

そして、ごくごく普通の若者らしい、目の焦点があらぬ方向にふらふらと漂っていたりはしない、できる限りの理知的な眼差《まなざ》しでオバサンを見る。

……そう、俺は確かに動揺していた。それは認めよう。

しかし、すでに気を取り直してしまった今の俺には、もはや付け入る隙など一寸たりとも残されていない。

そもそも、俺がこれほどまでに慌てふためく必要など、最初からどこにもありはしなかったのだ。「あ、結構です」と一言答えて二冊の冊子を突き返せば、それで済むことなのだ。ただ、あまりにも長いひきこもり生活によって、他人との交渉スキルが限界値ギリギリまで低下していたから、だから俺はこれほどまでに動揺してしまった、ただそれだけのことにすぎないのだ。

だから落ち着け。落ち着け俺。

そして言うのだ。

ただ一言、『あ、結構です』と言え。

――あぁ、わかっている。もうすぐ俺は言う。

俺は今こそ、ひとこと言う。

それはおそらく、あまりにも久しぶりに発せられる他人への言葉であろうから、たぶんかなりのうわずり具合だろう。俺の口から発せられる言葉は、おそらくだいぶん、うわずっていることだろう。もしかしたらドモってしまったりするかもしれない。しかし、それが何だと言うんだ？

どうせこのオバサンとは、そしてこの娘とは、このさき二度と会う機会など無い。だから
らどう思われてもそれはそれでいい。『変な人』『気持ち悪い』と思われても、どうってことない。だから言うぜ。俺はサッパリ勧誘を断るぜ！

『あ、結構です』と言うのだ！

『あ、結構です』と言うぜ！

「あ、結――」

しかし、そのときだった。

俺の視線は偶然にも、右手に持った『目を覚ませよ！』の表紙に注がれてしまった。

『目を覚ませよ！』の表紙。そこには黒いゴシック体で、こう書かれていた。

若者を襲うひきこもり。あなたは大丈夫ですか？


俺の視線に気づいたオバサンは、宗教的笑顔をさらに輝かせて、言った。

「これが今月の特集なんです。聖書的な見地から、ひきこもりについて考察しています。興味がおありですか？」

「…………」

俺を襲った恐怖、それを言葉で言い尽くすことなど到底不可能だった。

――見透かされているのか？

もしやこのオバサンは、俺の正体がひきこもりであると、すでに知っていたのか？　だからわざわざ、このような冊子を俺に手渡したのか？

それはひどく恐ろしい予感だった。

見知らぬ他人に、ひきこもりのクズ人間であると知られてしまう――その想像は、どうにも耐え難い、恐怖、悪寒、わななき、そして混乱を、俺に激しくもたらした。

だが――まぁいい。落ち着け。

まずはともかく、ごまかすことだ。

素早く、さりげなく、ごまかしてしまえ。

「……ひきこもり？　はははは！　まさかこの俺がひきこもりなワケないじゃないですか！」

バカか俺は！　こんな事を言ったら、ますます余計にあやしいじゃないか。早く、もっと上手にごまかせ。いますぐごまかせ。言い逃れを。もっと。なんとか。頼むから——

「そそそんなワケないですよねぇまったく！　ええ。まさかこの俺が、もう一年近く他人と口をきいていないとか、ひきこもりが高じて大学中退したとか、無職だとか、将来に希望が見えないとか、もうダメだとか、絶望だとか、そんな話があるわけないじゃないですか！」

オバサンは一メートルばかりあとずさった。

そして俺の思考はさらにガリガリと空転し、とどまるところを知らなかった。誰か止めてくれ。

「ええ！　オバサンはバカだなぁ。ええ、バカだなぁ。本当にバカだなぁ。失礼しちゃうなぁ。何が『若者を襲うひきこもり。あなたは大丈夫ですか？』ですか？　お祈りしてひきこもりが治るぐらいなら、これだけ悩むわけがねぇだろうが！　あんたらに何がわかる？　俺にもわかんねーのに、あんたらにわかるわけがねぇよなぁ！」

……もういい。もういい俺。宗教オバサンはすっかり脅《おび》えている。今にも回れ右して警官隊を呼びに行きそうな勢いだ。

『あそこのアパートに頭のおかしい人間がいます。危険です！』

あぁ、確かに危険だ。かなり危険だ。自分でも驚きだ。なんといったこともない普通の宗教勧誘にここまで過剰に反応してしまう、自分のバカさに驚愕《きょうがく》だ。もうダメだ。

だから俺は、もう死のう。宗教家の前でこれだけの大恥を晒《さら》してしまったこの俺は、もはや一刻も早く死ぬべきだ。だからいいからオバサンは、さっさととっとと帰ってくれ。その娘さんをつれてどっかに行ってくれ。あぁ、もうだめだ。俺はもうダメだダメだダメだダメだ！

……そうだ、あした日本刀買ってこよう。そしてハラキリしよう。これ以上恥をさらすかわりに、内臓をさらして武士の証《あかし》を立てよう。そうだそうしよう。……だけど日本刀って、どこに売ってるんだろう。なぁオバサン、あんた知ってる？　知らないか。そりゃあそうだ。ああ、いいよ、別にそんなの知らなくたっていいから、いいからもう、とっとと帰ってくれよ。えぇ、ハイハイ、申し訳ありませんでした。俺はひきこもりですよ。トップクラスの高レベルひきこもりですよ。俺ほどにクズなひきこもり、他にはそうそういませんよ。無職ですよ。ゴミですよ。ヘボですよええぇ！　だけどあんたらに助けてもらおうとは思いません。いいから、さっさと帰ってください。ほら、これ、返すから。二冊の冊子を返すから、とっとと今すぐどっかに行けよ！

「――そそそ、それじゃ、お忙しいところ申し訳ありませんでした」

オバサンは慌てて俺から目をそらし、そそくさと回れ右をして背後の娘を促した。

「ほら行くよ岬、ひとまず会館に戻りましょうね――」

ああ帰れ帰れ。とっとと帰れ。岬ちゃんも早く消えろ！

……ん？

なんだ岬ちゃん。なんだその顔は？　オバサンはもう先に行っちゃったのに、どうしてわざわざ日傘を上げて、俺の顔をまじまじと見る？　なんだ、何か文句あんのか？　え？　なんだおい、なんだその顔は。なに見てんだコラ？　なに笑ってんだこら。それは嘲笑《ちょうしょう》か？　俺を笑ってんのかコラ――？

＊

事実、俺は見知らぬ宗教娘に、見事に嘲笑《あざわら》われてしまったようだった。

ほんの一瞬、彼女は日傘を上げて、俺の顔を正面から見たのだ。

にっこりと笑っていた。可愛い嘲笑だった。

俺はサッパリ死にたくなった。

新興宗教愛好娘などという頭のおかしい人間から笑われてしまったこと、思いっきり見下されてしまったこと、そしてなにより、彼女の笑顔が無駄に可愛かったこと。それらさまざまな要因によって……あぁもうダメだ、本気で死のう。

さらば。

さらば宗教のオバサン。

さらば日傘を差した岬ちゃん。

みなさんさようならさようなら。

俺はもう旅立ちます。

アパートのドアを閉め、鍵《かぎ》をかけ、部屋のカーテンも閉め切って、俺はこれから旅立ちます。

ベッドに腰を下ろして、息の根を止めます。

両手で口をぎゅっと塞《ふさ》ぎ、息を、止めます。

……あぁ、苦しい。苦しい。

もうすぐ死ぬ。もう三十秒も息を止めた。もうすぐ死んでしまう。

しかし、なかなか臨終の時はやってこなかった。なぜならば、鼻から息が漏れていたからだ。

世の中、何事もままならないものである。

誰か、なんとかしてくれ。

三章　邂　逅

1

昨日勃発《ぼっぱつ》した宗教オバサンとの対決によって、バイカル湖よりもマリアナ海溝よりも深く深刻に落ち込んだ俺は、しかしそれでも復活した。

数ヵ月ぶりに真っ昼間から外出して、賑《にぎ》やかな街へと繰り出したのだ。それはあまりに雄々しい行為で、全世界の喝采《かっさい》を浴びるに相応《ふさわ》しい、英雄的な振る舞いだった。自分で自分を褒めてやりたい。

だが……その目論見《もくろみ》は、すべてが虚《むな》しく失敗した。

あとに残されたものは「もうダメだ！」という絶望だけ。

アパートに帰ってきた俺は、辛《つら》い記憶を消し去るために、部屋に籠《こ》もって酒を飲んだ。コタツに座って「酒らあ。もっと酒持ってこい！」と叫んでみる。けれどもそれは、あくまで虚しい独り言に過ぎず、夕方の薄暗い六畳一間に、陰々滅々とわびしく響いた。

すでに数本、空になった缶ビールがコタツの上に転がっている。

隣室から響いてくる大音量のアニメソングにイラつきながら、それでもなお、俺はむやみにアルコールを過剰摂取する。

目が回り、頭が激しくグルグルした。

もう少しだった。

もう少しですべてを忘れてしまえるだろう。

＊

それは半日前のこと。

昨日の意気消沈から立ち直った俺は、一刻も早いひきこもり脱出を決意した。

そして思った。

「今日からバイトしよう」

――そうなのだった。就職が無理なら、まずはバイトから始めればいいのだ。そうすれば俺の肩書きが、ひきこもりからフリーターに変更される。そのどちらの語感も、多分にダメ人間的雰囲気を漂わせてはいるが、ひきこもりに比べれば、フリーターの方がはるかに健康的である。だから今すぐバイトを探そう。

そこで俺はコンビニに向かい、バイト情報誌を購入した。

早足でアパートに戻り、真剣に熟読。

どれだ？　俺に相応しいバイトはどれだ？

力仕事は却下だった。疲れる仕事はやっぱりイヤだ。かといって、コンビニ店員なども願い下げだ。あのような激しい接客業など、俺につとまるワケがない。

そして——おお！

マンガ喫茶、時給七百円

間違いない。この仕事こそが、俺に最も相応しい。小さな街のマンガ喫茶などには、どうせそれほど客も来ないだろうし、暇なときにはレジでマンガを読んでいればいい。実にラクそうな仕事だ。最高だ。

——というわけで、俺はさっそく履歴書を書き、意気揚々とアパートを出発した。向かうは駅前だ。マックの裏に、目指すマンガ喫茶が存在する。

涼やかな四月の住宅街を、俺はてくてく、ぼちぼちと歩いた。

だが——数カ月ぶりに昼の街を歩く俺を、「奴ら」が妨害した。肩を丸めて歩道の隅を歩く俺を、奴らが、ＮＨＫの妨害工作員が、ニヤニヤと嘲笑していた。

それは激しい妨害工作だった。

『ねぇ見てよアレ。気持ち悪いねぇ』

『無職のひきこもりよ。最悪だね』

『アパートに帰った方が良いんじゃないの。この街は、君なんかが歩いちゃいけない所よ』

通りすがりの主婦が、女子高生が、オバサンが、すれ違うたびに小声でささやく。俺はすっかり青くなる。

——あぁ、帰りたい。

あの薄暗くて居心地の良い六畳一間に帰りたい。あったかい布団に潜って、何も考えずに目を瞑《つぶ》りたい。しかし、ダメだ。それはダメだ。そんなことをしたら、ますます奴らをつけあがらせるだけだ。だから耐えろ。ここが勝負どころなんだ。頑張るんだ——

事実、俺にはある程度の予想がついていた。社会復帰に乗り出そうとする俺を、奴らが放っておいてくれるわけがないと、最初から知っていた。

だから俺は負けなかった。一歩歩くごとに高まる不安を無理に抑えつけつつ、かなりの早足で目的地を目指した。

そして——やっとのことで目指すマンガ喫茶に到着。駅の裏手にある、このこぢんまりとした佇《たたず》まいのマンガ喫茶「ブレイクタイム」が、これからの俺の職場となる。明日から毎日、ここで働くのだ。

ひきこもり脱出は、すでに目前だった。

昼間の街を歩くだけで、これほどまでに気分が悪くなってしまうのも困りものだが、それもおそらく慣れの問題だろう。一度フリーターになってしまえば、他人の視線への過剰不安も、あっという間に消え失《う》せるはずだ。

だから……そう。ついに時がきたのだ。

今こそ俺は、脱出してやる。普通人になってやる。もう宗教家などに馬鹿にされたりしない、ごくごく一般的なフリーターになってやる。

だから——だから俺は行くぜ。

勇気を出して、踏み込むぜ。

ドアを勢いよくからんからんと開き、軽やかに店内へと足を踏み入れて——

レジで働く女の人に履歴書を差し出して、元気よく言うのだ。

『あのう、こちらでバイト募集してると聞いたんですが』と言ってやるのだ！

そうして——

俺は、言った。

しかし、その言葉は途中でとぎれた。

「…………」

灰皿、ポット、コーヒーメーカー等々が整然と陳列されているカウンターの中には、椅子に座ってマンガを読んでいる一人の女性店員がいた。

少女漫画を真剣な目つきでめくっている、彼女の横顔——

なぜだか不思議に、見覚えがあった。

というか、昨日、会ったばかりだった。

彼女は、「あのう、こちらでバイ」と言ったきり、レジの手前で硬直している俺に気づくと、膝《ひざ》の上のマンガから顔を上げた。

目が合った。

「………」

宗教勧誘娘、岬ちゃんだった。

昨日見た時とは違って、今日は極めて普通な格好をしていた。そこらの若者風なジーンズ姿だ。そこに宗教の影は見えない。

だが——彼女の正体に気づいた瞬間、俺の心臓は通常の十倍速で脈打ち始めた。

さまざまな思考が脳裏を激しく駆けめぐる。

——なぜ宗教家がマンガ喫茶などでバイトを？　それは戒律違反じゃないのか？　いや、いや、そんなことはどうでもよくて、この娘、俺の顔を覚えているだろうか？　覚えられているとしたら、それはもう、身の破滅だ。バイト先に、俺の秘密を知っている人間などが存在していてはいけない。俺の秘密を知っている人間などと、一緒に働けるワケがない。

ならば俺はどうするべきか？

逃げるんだ！

その決断はごくごく当然の論理的帰結であって、とにかく逃げだせ！

しかし宗教娘は、きびすを返そうとする俺を呼び止めた。つい数瞬前までの硬い表情を崩し、昨日と同じ、俺を見下す嘲笑《ちょうしょう》をニコニコと浮かべ、小声で訊《き》いた。

「こちらで、バイ？」

そこには通常の客への対応と、明らかに大きな差異が見てとれるような気がした。間違いなくこの娘は、俺が昨日の、頭のおかしいひきこもり人間であると気がついている様子であった。

嫌な感じの冷や汗が首筋をつたう。逃げたい。一刻も早くここから立ち去りたい。

だが——それでも俺は、彼女の問いに答えなければならない。一度口に出してしまった言葉を、うまい具合にひっこめなければならない。

だからあくまでさりげなく、ごくごく自然に、とにかく何か言え！

「バ、バイ——」

「…………？」

「バイクとか、好き？」

……俺は一体、なにを考えているんだろう？

「俺は好きだなぁ。バイク。風になれるよね」

店の奥に座っている数人の客も、俺に注目し始めた。

「あのエンジンの鼓動がたまらないんだ。ところでどう？　いつか一緒にツーリングでも」

……あぁ、もうダメだ。

「っていうか、そもそもバイクなんて乗ったこともないけどな！　ははははは！……それじゃあね」

早足で店から逃げた。

帰り道、コンビニによってビールと焼酎《しょうちゅう》を買った。

死のう、もう死のう。

しかし俺は死なない。なぜならば、今日は天気がいいからだ。だから死ぬかわりに、死ぬほど酒を飲んで全部忘れよう。

忘れてしまおう。

酒だ。

酒を——

＊

「酒らあ。もっと酒持ってこい！」と叫んでみるも、それはあくまで虚《むな》しい独り言に過ぎず、夕方の薄暗い六畳一間に、陰々滅々とわびしく響いた。泣きたくなった。

全部あの女のせいなのだった。あの女のおかげで、俺のひきこもり脱出大作戦は、惨めな失敗に終わってしまった。人を呪い殺す力が欲しい。

……あのやろう、あのやろう、く、く、くそう。いまごろ奴らは、俺を嘲笑《あざわら》っているに違いない。俺は笑いものにされているに違いない。

『店長、今日、頭の変なひきこもりが店に来ましたよ』

『えっ、それは本当かい岬ちゃん』

『この店でバイトするつもりだったみたいですよ。ひきこもりのくせに、身の程をわきまえろって感じですよね』

『まったくだね。無職で中退で気持ちの悪いひきこもりなんかが、社会に出られるワケないのにね』

などなどといった感じで、奴らは俺を、面白おかしい話のネタに使っているのだ。あぁ、なんてことだ。許し難い。ゆるせない。

だから復讐《ふくしゅう》を。今こそ復讐を。絶対に仕返ししてやる――

「…………」

しかし、俺はひきこもりなので、上手に復讐する方法が思いつけなかった。だからこの件は諦《あきら》めることにして、何か別の、もっと気分が良くなることを考えることにした。嫌なことは忘れて、楽しいことを考えようと思った。

楽しいことと言えば、NHKである。

辛《つら》いとき苦しいときには、NHKが水面下で繰り広げている陰謀の事を考えればいい。

そうすれば、いくぶん気が楽になる。

NHK、NHK——

「そうかわかったぞ！」

俺は叫んだ。

「あの女は、NHKの特殊工作員だったんだ！」

そのようなことを大声で叫んでみた。

だが予想に反して、気分はちっとも良くならなかった。

「……あぁ」と呻《うめ》き、さらにビールと焼酎を空ける。

頭が痛かった。隣室から鳴り響くアニメソングも、激しくやかましい。

気がつくと、いつのまにやら悪酔いしていた。気分がどんどんネガティブ方向にまっしぐらだった。未来に希望が見いだせない。このまま俺は、ひとり寂しくバカみたいに死んでいく、そんな気がした。

「……もうダメだ、もうダメだ、もうダメだ！」と唱える。

しかし、いまだ隣室からはアニメソングが響いていた。その歌詞には、「愛」「夢」「恋」「希望」などなどといったポジティブ系の単語が頻出していて、それはかなりの皮肉に聞こえた。前途を塞がれた俺に対する、かなり嫌みな皮肉に聞こえた。怒りと悲しみに打ち震えた。

そもそもどうして今日に限って、俺の隣人はこれほどまでに大音量でアニメソングを鳴らしているのだろう？　いつもは昼間しか鳴らさないのに。今はもう夜中だぜ。

そうして俺は、ふと気づく。

これはもしや、俺に対する嫌がらせじゃないのか？

フリーターにすらなれなかった、あまりに惨めでバカな俺に対する嫌がらせなのか？

「…………」

だとしたら、許せなかった。

壁をがこんと殴ってみる。

アニメソングが鳴りやむ気配は無かった。

壁をぼこんと蹴《け》ってやる。

反応は無かった。

……バ、バカにしやがって。

みんな、みんな、よってたかって俺をバカにして。

くそ。見てろよ。

後悔させてやる。

酒を飲み、もっと酔い、前後不覚になるまで酔っぱらって——

俺は、行くぜ。目にもの見せてやるぜ。

悪いのはそっちだからな。

コタツから立ち上がり、すっ転びそうになりながら玄関のドアを開ける。

隣室の202号室へと千鳥足で歩を進め——呼び鈴を連射。

「ピンポンピンポンピンポン——」

しかし、返事は無い。

ドアを殴ってみた。

それでも返事は無い。室内から聞こえてくるのは、相も変わらぬアニメソングだけ。フアンシーララのテーマソングだ。

「わったっしファンシーララー」

かっと頭に血が上った。

ドアノブを捻《ひね》る。鍵《かぎ》はかかっていない。

どうとでもなれ。

「ぐらぁ！」と叫び、怒りにまかせてドアを開き、「うっせーぞ！」と怒鳴った——

その瞬間だった。

「…………」

俺は見た。

部屋の奥に設置されたパソコンデスクに腰をかけ、壁際に設置されたスピーカーに耳を傾けている、ひとりの男。

彼は、唐突な客の到来に気づくと、回転椅子をゆらりと回して振り返った。

彼は——泣いていた。

さめざめと、涙を流していた。

さらに信じがたいことに、俺は、彼が何者なのかを知っていた。

「…………」

絶句してしまった。自分の目を疑った。

彼も涙を拭《ふ》き、「信じられない」という表情を浮かべて、こちらを見た。

身を乗り出し、俺の顔をまじまじと眺めている。

そんなしばしの沈黙の後——

震える声で、彼は言った。

「……さ、佐藤さん？」

間違いない。

山崎だった。

四年ぶりの、あまりに予期せぬ再会だった。

2

高校時代、俺は文芸部に所属していた。

と言っても、何も小説などが好きだったわけではない。新入生歓迎会の折りに、ヤケに可愛い先輩に勧誘されたのだ。

『君、文芸部に入ってよ』

俺は思わずうなずいてしまった。そうするより他になかった。なぜならば、一年歳上のその先輩は、文芸部などというオタク臭い部活に加入していたにもかかわらず、ちょっとしたアイドル並みに可愛かったからだ。

そんな適当な動機で部活に入ったものだから、日々の活動はトランプの七並べに終始した。暇を見つけては、狭い部室で先輩と七並べをした。まったく、何をやっていたのだろう。もっと他にやることがあっただろうに。

まぁ、今となっては、そんなことはどうでもいい。過去は過去である。

ともかく、そんなある日の放課後の事なのだった。俺と先輩は、中庭に面した一階の廊下を歩いていたのだ。

先輩が、ふと中庭の隅を指さした。

『……あれ』

『あぁ、イジメですね』

中等部の制服を着た少年が、数人の生徒に囲まれて、お腹をぽこぽこ叩《たた》かれていた。

イジメを受けているその少年は、弱々しい微笑みを浮かべていた。

イジメている方も、にこにこ笑っていた。

よくある風景だった。

『ひどいよね』

先輩が言った。彼女はずいぶんと感情移入能力が高い人なので、本当に気の毒そうな顔をしていた。

そのときだった。すごく良いアイデアがひらめいた。

『助けてきましょうか？』

先輩に、俺の格好いいところを見せつけてやる。

『できるの？』

俺はうなずいた。

中等部のガキぐらい、どうってことはないだろう——

もちろんそれは、大きな判断ミスだった。

『イジメ、かっこわるい！』と叫んで、イジメ現場に踏み込んで行ったのはいいものの、逆にすっかりやり返されて、さらにイジメグループはそのまま逃走、先輩は呆《あき》れかえった目で俺を見つめ、イジメられっ子はその後一年間、相も変わらずイジメられ続け——と、俺の行動は何ひとつ良い結果を生み出さなかった。

それでもイジメられっ子の山崎君は、何を勘違いしたのか、俺を尊敬してしまったらしい。高等部に進学すると同時に、文芸部に入部してきやがった。

だが、そのときの俺はすでに三年生。先輩も卒業してしまい、すっかりヤル気が無くなっていた俺は、山崎を部長に仕立て上げて、自分は受験勉強に集中した。

そうしてそのまま、俺もあっさり卒業。

卒業式で二、三の会話を交わして以来、山崎とは完全な音信不通だったのだが——

＊

六畳一間の真ん中で、山崎は大げさにはしゃいでいた。痩《や》せていて、ロシア人並みに色が白いところは、あの頃とまったく変わっていない。多少は男らしい顔つきになっているかと思えば、やはりそんなこともない。見るからに戦闘力が低そうな、ひ弱な青年である。

「マジですか？　本物ですか？」

先ほどまでは目を真っ赤に腫《は》らして泣いていたくせに、今ではもう、すっかり笑顔だ。アニメソングもすでに鳴りやんでいる。

玄関に立ちすくんだまま、俺は訊《き》いた。

「どうしてお前がここに――？」

「佐藤さんこそ」

「俺は……」

このアパートが大学の近くだったから偶然入居しただけだ、と言おうとして、思わず口ごもってしまった。俺の正体（中退無職のひきこもり）を山崎には知られたくない。

すると山崎は俺の葛藤《かっとう》に気がつかないまま、自らの境遇を説明してくれた。

「僕はこの春、専門学校に入学したんです。で、家賃が安くて、通学にも便利なアパートを探したら、たまたまここが気に入って――」

なるほど。やはりまったくの偶然らしい。

「とにかくあがってくださいよ。汚い部屋ですけど」

あまりと言えばあまりな偶然に、かなりのとまどいを感じていた俺を、山崎は明るく促した。

俺は素直に靴を脱ぎ、室内へと足を踏み入れた。

当然の事ながら、間取りは俺の部屋と変わらない。

「…………」

だが――なんだ、これは？

俺は思わず立ちすくんだ。

山崎の部屋には、妙な気配が漂っていた。それは今まで感じたことのない、ごくごく微妙な雰囲気だった。

壁に貼られた奇妙なポスター、巨大な二台のタワー型パソコン、壁際に天井近くまで積みあげられたマンガの山――その他さまざまな家具や装飾が、ある種の困った空気を醸し出しているのだった。

「どうぞ、そこに座ってください」

山崎の声で、ふと我に返る。

その言葉に従い、おぼつかない足取りで部屋の奥へと移動する。

と――いきなり足元で、何かがばきっと音をたてて割れた。俺はびくんと飛び上がった。

「あ、CD―Rのケースです。気にしないでいいですよ」

足元を見ると、マンガやら小説やら、ビデオテープやらDVDやら、ペットボトルやティッシュの空き箱などのゴミクズやらが、床一面に散乱していた。

「汚い部屋ですけどね」

本当だ。これほどに汚い部屋、初めて見た。

「それにしても、嬉《うれ》しいなぁ。まさか佐藤さんが隣にいたとは」

ベッドの端に腰をかけた山崎は、一歩歩くごとに何かを踏んでしまう俺に構わず、だいぶ遠い目をしてそんなことを言う。

ようやく俺もパソコンデスクに到着した。回転椅子に、腰を下ろす。

酔いは、醒《さ》めていた。完全に、醒めていた。

何を言ったら良いものか分からず、十七インチのディスプレイに目をやる。そこには、俺の知らないアニメ絵の壁紙が貼り付けられていた。

「僕がこのアパートに入ってきてから、もう半月も経ってるのに、お互いに気がつかなかったとは、まったくおかしい話ですね」

ディスプレイの上には、赤いランドセルを背負った少女の人形（ガレージキットという物らしい）が飾られていた。

「これが大都会の隣人無関心ってヤツなんでしょうね」

壁に貼られたポスターには、小学生としか思えない少女の裸体が、やはりアニメ調の絵で描かれていた。俺は目をそらして、パソコンデスクの上を見た。

「どうしたんですか？　佐藤さん。黙っちゃって。……あ、音楽がうるさかったんですよね。今度から気をつけます」

パソコンデスクの上には、何かのゲームのパッケージと思われる、四角い箱が大量に積まれていた。そのパッケージには、「責」「濡」「虐」「淫」「縛」「学園」「監禁」「陵辱」「鬼畜」「純愛」「調教」「アドベンチャー」などなどといった、普段あまりお目にかからない種類の単語が大量にちりばめられていて、さらにそのうえ、やはりどう見ても小学生としか思えない少女の裸体が、アニメ絵で見事に描かれていた。十八歳未満お断りと書かれたシールも貼られていた。

またもや俺は慌てて視線をそらし、壁際に積まれたマンガの山に目をやった。

「それにしても嬉しいなぁ佐藤さん。まさかもう一度会えるとは。僕、佐藤さんのこと尊敬してたんですよ。知ってました？　知ってましたよね——」

俺はマンガを一冊手にとって、ぱらぱらとめくってみた。

やはりそこには、小学生としか思えない少女の裸体が、そして、「成年コミック」と書かれた黄色いマークが……

「ところで、僕の通ってる学校、知ってますか？　テレビのCMとかで見たことあると思うんですけど——」

俺はマンガを山に戻し、額の汗を拭《ぬぐ》ってから、訊いた。

「どこの学校に通ってるんだ？」

その問いに、山崎は胸を張って答えた。

俺は思わず天を仰いだ。

＊

――数年前のあの頃。俺たちは夢を見ていた。

汚い校舎の、ぼんやりした生活。

美しい少女たち。鬱屈《うっくつ》しながらも笑っていた少年たち。

俺も、皆も、夢を見ていた。

夢のような生活の中で、俺たち若者は、誰しもが素晴らしい未来を思い描いていた。

放課後は部室に入り浸り、先輩とダラダラした時間を過ごす、そんな毎日。

地震が起きたら一発で崩壊しそうなほどに古くさい、そんな粗末なプレハブ小屋で、ビクビクしながらタバコを吸う。

バイトをするでもなく、部活に精を出すわけでもなく、成績も悪く、ヤル気もない。うだつのあがらない高校生だった俺は、それでもいつも、笑っていたのだ。

ある日のことだった。

ゴミやガラクタが一面に散らばった部室で、俺と先輩は呆《ほう》けていた。

「佐藤君。君、将来どうするの？」先輩は訊いた。

「まずは適当な大学に行きますよ。……何をやるかは知りませんが、たぶんそのうち、やりたいことが見つかるでしょう」

「ふうん」

先輩は目をそらし、そしてぽつんと呟《つぶや》いた。

「この前のさ、イジメられっ子救出大作戦。バカみたいだったけど、ちょっとかっこよかったよ。……だから大丈夫だよ。佐藤君なら大丈夫だよ」

俺は、照れる。

——そして時が経ち、先輩は卒業。

やはり汚い部室には、数学の参考書を睨《にら》む俺と、山崎がいた。

山崎が言う。

「佐藤さんも、今年で卒業ですね」

「そうだな。……これからはお前が部長だ、頑張れよ」

「寂しくなりますね。みんな大きくなりますね」

「若いうちからそんなこと言うなよ。——そうだ。吸うか？」

俺はポケットからタバコを取りだして、山崎に差し出した。

山崎はそれを受け取り、恐るおそる火をつけた。

盛大に咳《せ》き込んだ。

涙目になりながら、山崎は言った。

「うまくいくといいですね」

「なにがだよ？」

「いろいろなことがですよ。今みたいに、気楽な毎日が続けばいいですよ。……だから佐藤さんは、頑張ってくださいよ。どこに行っても、頑張ってくださいよ。僕も頑張ります。元気にいきますよ。なんとかなりますよ」

不安と希望が、共にあった。

夕日の射し込むボロ部室で、俺たちはぼんやり笑っていた。


――そうして俺は、大学に進学。

しかし、中退。

先の見えない生活に脅《おび》え、ワケの分からない不安にビビリ、見通しの利かない、うだつの上がらない、笑ってしまうほどにバカげた生活が延々延々と続いて続いた。

四方は姿の見えない恐怖に取り囲まれていた。

だから俺は閉じこもり、そして眠った。ぐうぐうぐうぐうと、眠り疲れるまで眠っていた。春が過ぎ、夏が去り、秋になって、冬が来た。

そして何度目かの、優しい、春。

未来に続く、時間はしかし、ばったりきっぱり閉鎖されていて、俺はまったく途方に暮れた。夜風は涼しく、気持ち良く、それでも俺は、眠り続けた。

そんなある日に、俺たちは再会した。

俺と山崎は、もう一度出会った。

貧弱なイジメられっ子。それでもずいぶん良いヤツだった、山崎。

——あの頃の俺たちは、同じ街の空気を吸っていた。

具体的な未来が何ひとつ見えなくても、それでも上を向いていた。

今でも俺は、はっきりと思い出せる。あの、懐かしい部室。狭い窓から射し込む夕日。

たわいのない、会話。

「俺たち、どうなるんだろうな」

「きっと、なるようになりますよ」

「……だといいな」

それは心地の良い、優しい放課後だった。

＊

だけど俺たちは若かったしバカだった。くだらなかったし、どうしようもなかったし、
たった四年後の未来さえも予想できなかった。
数年ぶりに山崎と再会した俺は、彼に訊《き》いた。
「どこの学校に通ってるんだ？」

その問いに対し、山崎は胸を張って答えた。

「夜々木アニメーション学院です」

「………………」

人生って、とても不思議だ。

「そんな先輩は、今、なにをやってるんですか？」

「……中退、したよ」

「………………」

山崎は、顔をそらした。

気まずい沈黙が流れた。

俺は無理矢理、陽気な声を出した。

「そう言えばお前、どうして泣いてたんだ？」

「……最近、学校に行ってないんです。やっぱり、周りにとけ込めなくて。友達もいないし、一人暮らしは初めてだし――それでヤケになって、思いっきりでかい音でＣＤを――」

「もしかしてお前――最近ずっと、ひきこもってたのか？」

「……そ、そうです」

俺は椅子から立ち上がり、「ちょっと待ってろ」と言い残して、自室に戻った。

両手に缶ビールを抱え、もう一度山崎の部屋に入る。

「飲もう」

「……は?」

「いいから、飲もう」

俺は缶ビールを山崎に手渡した。

「大丈夫だ。いつか、かならず、ひきこもりから抜け出せる日が来る」

自らの願望を、大声で口に出す。

「大丈夫だ山崎君。俺はひきこもりに関してはプロフェッショナルなんだ。俺がついている限り、これ以上事態は悪化しない!」

そうして俺たちは、酒を飲んだ。大音量でアニメソングをかけ、意識が飛ぶまで酔っぱらった。

その宴は深夜遅くまで続いた。

アニメソングのCDが終わると、俺たちは歌を歌った。ずいぶんと酔っぱらっていたので、もしかしたらそれは、夢の中での絶唱だったのかもしれない。

だが、夢なら夢で、それでいい。

ともかく俺は、元気に歌った。

ひきこもりの歌

作詞作曲　佐藤達広

凍てつゞく六畳一間　たゞひといろにアパートは
絶えると見えて脱出遠く　起き伏すベッドに一日十六時間
あのコタツの陰あのあたり　ゴキブリの何ぞ隠れたる

飯を食べれば一日一食　体重ますます減り痩《や》せる
コンビニしばし向かえども　他人の視線に脅えれば
冷たい汗さえわきいでて　脱出の困苦おもふべし

妄想にも似たるNHKを　求めて得ざるむなしさに
けふも日暮れてとぼとぼと　湿ったベッドに横たわる
疲れて重き脳味噌《のうみそ》の
あぁ　もうダメだ　もうダメだ！

＊

エロマンガを枕にして床に寝ていた俺は、ひどい頭痛に目が覚めた。

山崎は、パソコンデスクの下に俯《うつぶ》せになって眠っていた。

「学校は？」

肩を揺すってやった。

「……休みます」

それだけを答えると、山崎はもう一度目を閉じた。

俺は自室に戻り、ベッドに横になった。

バファリンを飲み、再び寝た。

四章　造物主への道

1

出口はすべて塞《ふさ》がれていた。希望が見えなかった。どうしようもなかった。『世界を牛耳る悪の組織、NHK』などといったバカらしい空想によって、気分を紛らわせていられるだけの精神的余裕すら、もはや完全に消え失《う》せていた。

鬱鬱鬱鬱と思い悩む春だった。唐突にビンセント・ギャロのモノマネがしたくなる春だった。

トイレに入り、頭を抱え、呻《うめ》く。

「もう、生きていけない」

バッファロー66である。

……死んでしまえ、俺。

だがそれでも――

今日はなぜだか、いつもと違った。

だいぶびっくりすることがあった。

昼の一時に目を覚ました俺は、新聞受けに、見慣れぬ紙切れが挟まっていることに気がついたのだ。

手にとって、眺める。

それは数日前の、マンガ喫茶でバイトをするために書いた履歴書だった。思い出したくない記憶ナンバーワンの、例の一件、あのときに書かれた履歴書なのだった。

――なぜ？　なぜ、あの履歴書が新聞受けに？

俺は早足で、山崎が住む隣室へと赴いた。

山崎は、今日も学校を休んでいた。パソコンに向かい、何かのゲームをやっていた。

俺は訊《き》いた。

「今日、宗教の勧誘が来なかった？」

「えーと、二時間ぐらい前に来ましたよ。ほら、例の冊子も貰《もら》いました。この直訳調の文体が最高ですよね。あれ？　佐藤さんのところには来なかったんですか？」

山崎のその証言によって、俺は恐ろしい事実に気がついた。

どうやら俺は、マンガ喫茶に履歴書を置き忘れてきてしまったらしい。

ポケットから落ちたのか、無意識のうちに、岬ちゃんに差し出していたのか、それはいまいち思い出せない。あまりの動揺によって、あのときの記憶は激しく混乱している。

だが——これだけは確かだった。

岬ちゃんが宗教勧誘のついでに、わざわざ履歴書を持ってきてくれたのだ。つまり『バイクとか、好き？』などと阿呆《あほ》なセリフを吐いて、バイトの面接にやって来たことをムリヤリ誤魔化《ごまか》そうとした俺の試みは、完全に失敗していたのだ。

その事実に気づいた俺は、もう、何もかもがどうでもよくなった。人間、あまりに恥ずかしい出来事に遭遇すると、感情が麻痺《まひ》してしまうものらしい。

俺は「……どうでもいいや」と呟《つぶや》いて、その履歴書をゴミ箱に捨てようとした。

だがそのとき、履歴書の裏が目に入った。そこには何かのメッセージが、黒いボールペンで書き込まれていた。

あなたは私の『プロジェクト』に大抜擢《ばってき》されました。ですので、今夜九時に、三田四丁目公園に来てください。

「……はぁ？」

俺はゴミ箱の手前で腰をかがめたまま、ぽかんと口を開けてしまった。

＊

冷静に考えてみると、これは驚天動地の事態なのだった。二度会っただけの女から、謎の手紙がやって来る。それはあまりに不可解で、なにがなにやらワケがわからない。

しかしなぜだか従順に、俺はそのメッセージに従ってしまった。

アパートから歩いて二分の所に、指定された公園が存在する。

すでに時刻は夜だった。

等間隔で生い茂る街路樹を、古びたジャングルジムを、ペンキの剝《は》げ落ちたベンチを──ブランコの手前に屹立《きつりつ》した街灯が蒼《あお》くうっすらと照らしている。

俺は、この公園が好きだった。

一週間に一度、深夜にコンビニへ食料の買い出しに行く途中、俺は必ずこの公園に寄る。

誰もいない公園。それは俺だけの空間だ。

涼しい夜風。ベンチに腰を下ろして空を見上げれば、かすかに揺れる木々の枝と、その隙間から覗《のぞ》ける月、そして星。

開放感と、安らぎが、そこには共に存在した。

それなのに──今夜の公園は、俺だけの空間ではなかった。

他人がいた。

俺は、こちらから声をかけることをしなかった。

事実、ある程度まで腹が立っていた。

――なんのつもりなのか？　何を考えているのか？　おまえは何者なのか？

それらさまざまな疑問と共に、ある種の怒りが存在したのだ。

しかし、なぜか頭は冴《さ》えていた。落ち着いてもいた。思考は冷静な回転を続けていて、決して空回りすることがなかった。

それはある種の諦観《ていかん》であったのかもしれない。すでに俺は、現状のすべてを受け入れていたのかもしれない。自らがひきこもりであることを、未来のない人種であることを、死ぬべき存在であることを――俺はそれらを穏やかに認めていたのだろう。そうに違いない。

実際、最近の俺は、昔の時間を生きていた。昔の夢を、毎晩見ていた。

懐かしいふるさと、友、家族。嫌なこと、嬉しいこと、さまざまな思い出、そのフラグメント――夜に見る夢は優しく切ない。

そうなのだ。いまや未来は問題ではなかった。未来はすでに決定していた。だからこそ過去を、素敵な思い出を――

それはまったく、あまりに後ろ向きな逃避であったが、もはや何事も、どうでもいい。

あぁ、そうさ。俺はひきこもりさ。精神虚弱のダメ人間だ。しかしそれでもいいじゃないか。放って置いてくれ。俺は静かに消えていく。もう結構！　もうダメだ！

「ダメだダメだダメだ――」

「何がダメなのさ？」

ベンチに腰を下ろして頭を抱えていた俺に、女が訊いた。

彼女はベンチの脇のブランコに揺られていた。肩の辺りまで伸びた髪が、さらさらとなびいていた。やはり今夜も、そこらの若者的な、ごくごく普通の格好をしていた。当然、日傘なんかを差しているわけもなく、宗教の気配は窺《うかが》えない。

しかし――それでも油断は禁物だ。なにより、このシチュエーションの異常さ自体が、彼女のおかしさを如実に物語っている。あくまでも慎重に、冷静な対応をせねばならない。

そこで俺は、彼女のことを、ホンダが開発した二足歩行ロボットであると思いこむことにした。そうすることによって、かなりの精神安定が得られる。

……あぁ。最近のロボットは、さすがに進んでいるなぁ。どこから見ても、まるっきり人間だ。

ぎこぎことブランコを小さく揺らしながら、ロボットが言う。

「どうしてこの前、逃げたの？　今、人が足りなくて困ってるのに。即決だよ」

すごいなぁ。音声出力も完璧《かんぺき》だ。関節の動きも滑らかだ。スカートから伸びた足も、実にしなやかだ。日本の技術は世界一だなぁ。

「やっぱり、ひきこもりだから、外で働くの、途中で怖くなった？」

「…………」

だいぶカチンと来たが、所詮《しょせん》、ロボットの言うことである。機械に何を言われても、それほど腹は立たない。

が、さらにロボットは謎めいた言葉を口にした。

「大丈夫だよ。あたし、ひきこもりの脱出方法、知ってるから」

「……なんだそれ？」

俺はついつい反応してしまう。

「佐藤君、だよね。……君、やっぱりひきこもりなんでしょ？」

俺はその問いに答えるかわりに、公園の入り口に立てられた看板を指さした。その看板には『チカンに注意！　若い女性の被害が相次いでいます』との警告文が、赤いペンキで毒々しく書かれていた。

「俺みたいなあやしげな人間を、こんな時間に呼びだして大丈夫なのか？　危険だぜ」

「大丈夫。あたしの家、すぐそこだから。……あたし、いろいろ知ってるんだよ。君、日曜の夜には、いつもこの公園でぼんやりしてるよね。窓から見えたよ」

「…………」

ここに至って、俺はようやく、かなり不安になってきた。

意図がつかめない。彼女の正体も依然として謎だ。すべてが普通じゃない。

……もしかして、これは遠回しな宗教勧誘なのではないだろうか？

「違うよ。だってあたし、和子《かずこ》オバサンにつきあってるだけだから」

「はぁ？」

「ずっとオバサンに迷惑かけてるから、せめてもの恩返し」

さっぱり話が見えないが、互いに正面の街灯を見つめたままの心許《こころもと》ない会話は、さらに続く。

「……とにかく、そんなことはどうでもいいからさ。佐藤君、知りたくないの？　ひきこもり脱出方法」

「佐藤君とか呼ぶな。俺の方が年上——」

「あたしの歳、知ってるの？」

「……見たところ、十七、八」

「大正解！」

彼女はブランコから勢いをつけて、ぴょんと飛び降りた。その元気な振る舞いは、しかし、なぜだか不思議にわざとらしく見えた。気のせいかもしれないが。

そうして彼女はベンチに座る俺の目の前まで来ると、真正面からこっちを見た。

「だからね、脱出方法、知りたいでしょう？　教えてあげるよ」

膝《ひざ》に手を当てて中腰になり、そんなことを言う。

やはりこの前と同じように、無駄に可愛い笑顔を浮かべていて、彼女をアシモの後継機と見なすのは、もはや不可能だった。

俺は顔をそらして、呟《つぶや》く。

「……俺はひきこもりじゃない」

「嘘。この前、オバサンに勧誘されたとき、自分から思いっきりバラしたクセに。あたしに気づくと、逃げたクセに。普通の人間は、そんなことしないよ」

「な――」

俺の言葉は、しかし遮られる。

「怖いんでしょう？　他の人が」

顔を上げると、目があった。黒目がちの大きな瞳《ひとみ》をしていた。

その目を見つめたまま、俺は何を言うべきか、しばらくのあいだ迷ってしまう。

しかし――

「…………」

結局、何も言わずに、もう一度顔をそらした。

ふと気づくと、いつのまにやら風が出ていた。頭上では、木々の枝がざわめいていた。

肌寒い夜だった。

俺はアパートに帰ることにした。ベンチから立ち上がり、背を向けた。

背後の彼女が呼び止めた。

「待ってよ！　きっと後悔するよ」

「何がだよ。そもそもあんた、何者だ？」

「ひきこもりのダメ人間を救済する、親切な娘です」

「手紙に書いてあった『プロジェクト』ってのは、なんなんだ？」

「計画の内容は、現時点では極秘です。でも、悪いようにはしないので、安心してください」

「…………」

具合が悪くなってきたので、適当な大嘘をついて、ともかく逃げ去ることにする。

「俺はねぇ、そもそも普通のひきこもりじゃないの。確かにひきこもってはいるけど、それは仕事柄、仕方がないの」

「仕事って、何さ？」

「……そ、ＳＯＨＯ？」

「何それ？」

「在宅で仕事する人間のこと。だから俺、ソーホーなの。アパート——つまりホームオフィスで仕事をしているだけであって、決して単なる無職じゃないの。確かにひきこもってはいるけど、それは職業柄、仕方がないんだ！　マンガ喫茶でバイトしようとか思ったのは、たんなる気の迷いで――」

「へぇ、そうなんだ。じゃあ、どんな仕事してるの？」

「き、聞いて驚くなよ。……く、クリエイターだ！」

横文字職業で驚いてくれ！

「クリエイティブな仕事をしてるから、ちょっと精神的におかしく見えるけど、むしろそれこそが、俺の素晴らしい才能を物語ってるんだ！　ただの穀潰《ごくつぶ》しの無職とかじゃないぞ！」

しかし岬ちゃんは、ニヤニヤ笑って、こう言った。

「じゃ、何を作ってるの？」

「それは――こう、なんというか、最先端の、ＩＴ革命的な、一言じゃ言えない……」

「今の仕事、出来上がったら教えてよ」

「そ、それはダメだ。守秘義務があるからな。それに、この企画にはかなりの金が動いてる。そうそう簡単にバラすわけには……」

と、自らのセリフのあまりのバカらしさに、思わず死にたくなってしまった頃――

岬ちゃんはくるりと背を向けた。

「……もったいないなぁ。せっかくあたしが、脱出方法、教えてあげようと思ったのにさ」

それは本気で残念そうな――

「こんなチャンス、二度と無いのにさ」

低い、ささやきだった。

横顔の輪郭だけが、街灯の逆光にうっすらと浮かびあがっている。

ちょっと、いや、だいぶドキドキしてきた。

そうしてついに、俺の悪い癖が噴出する。

「お、俺の言うことを疑ってるみたいだけどね、実際俺、凄《すご》いクリエイターなんだぜ。君みたいな小娘は知らないだろうけど、業界じゃ、ちょっとは顔が知られてる。……そうそう、今度会ったときには教えてあげるよ、俺の仕事。かなりビックリするぜ！　尊敬するぜ！」

……今度会うときって、なんだよ？　俺の仕事ってなんだよ？　どうして俺は、必ずバレる嘘を、こうも堂々と披露してしまうのか？　無職のひきこもりだよって、正直に言えばいいじゃないか！　変なところで妙なプライドを発揮するなよなぁ！

……あぁ。

もういい。

いいから逃げよう。これ以上どうしようもない大嘘をつく前に、さっさと逃げよう。

「じゃ、じゃあ、それじゃあね！」

俺はぎくしゃくとした足取りで、公園の出口を目指した。背後で彼女が何かを呟いたような気がしたが、聞き取れなかった。

2

アパートに戻ってきた俺は、山崎に訊《き》いた。

「山崎君、クリエイターって、どうやったらなれるんだろう？」

「……はぁ？　なんですか唐突に？」

「早急に、俺はクリエイターにならなきゃダメなんだ。君、夜々木アニメーション学院の生徒だろう？　そこらへん、詳しいんじゃないの？」

「いや、まぁ、それはそうですけど。……しかし、本気ですか？」

「本気だよ。俺は本気だ。何でもいいから、どうやったらクリエイターになれるのか、それを今すぐ教えてくれ。頼む！」

「……電話、切りますよ。僕の部屋に来てください」

わざわざ隣室にいる男に電話をかけてしまうほど、俺の動揺は激しかった。

＊

『今度会ったときには教えてあげるよ、俺の仕事』

数十分前に、俺は確かにそう言った。堂々と、胸を張って。

今度会うとき——それはおそらく、そう遠くない未来のような気がした。岬ちゃんは、ごくごく近所に暮らしているらしい。偶然街でバッタリ遭遇してしまうこともあるだろう。だからそれまでに、あまりにもバカらしい大嘘を、なんとかして真実に仕立て上げなければならない。俺はクリエイターにならなければならない。

しかし、クリエイターってなんだ？　なんなのさ？

いつものようにパソコンデスクに腰を下ろしている山崎が言った。

「つまり佐藤さんは、可愛い女の子に見栄を張って、ひどい嘘をついてしまったと。で、慌ててその嘘をごまかそうとしていると。要するに、そーゆーことですか」

顔を赤らめながらも俺はうなずく。

別に軽蔑《けいべつ》してくれてもかまわない。すでに山崎には、俺の正体（中退無職のひきこもり）が知られている。もはやそれ以上に恥ずかしい秘密は存在しない。だから俺を助けてくれ山崎君！

「いやいや、なにも軽蔑したりはしませんよ。ですが……うーん」

山崎は腕を組んで唸《うな》り始めた。俺は床に座って、彼の言葉をしおらしく待った。

しかし——次の言葉はあまりにも意味不明だった。

「そもそもですねぇ。生身の女ごときに、いくら見下されたって、そんなの別にどうって事ないじゃないですか」

「……は？」

「いいですか佐藤さん。女ってのはねぇ、人間じゃないんですよ」

「…………」

「奴らは普通の人間じゃないんですよ。むしろ限りなく人外の化け物に近いと言っても過言ではないですよ。ですから、そんな奴らのために、無駄な努力をしたりする必要はないんです。軽蔑されたって良いじゃないですか。女ごときに」

彼の表情は、いつもと変わらず穏やかだった。

俺は急激に居心地が悪くなってきた。

「あいつらはねぇ、真っ当な人の心を持ってないんです。人の形をしてますが、本当は別の生き物なんです。佐藤さんも、まずはそのことを理解した方が良いですよ」

「や、山崎君……」

「ははは！……いえいえ、まぁ、それは別に大した問題じゃありません。動機がどうであれ、クリエイターになりたいというその決意は、それほど悪いものじゃないでしょう。いいですよ。一緒に考えましょうか」

そうして彼は、パソコンデスクから立ち上がると、俺の目の前に腰を下ろした。その振る舞いには、妙な自信が満ちあふれていた。

やはり四年という歳月は、人の性格を激変させてしまうものらしい。イジメられっ子だった山崎君の精神は、いまやすっかり、ヤバイ感じにねじ曲がっているようだった。

だが——それはこの際、どうでもいい。目の前に立ちはだかる問題を解決してくれるものならば、俺は悪魔にでも頭《こうべ》を垂れよう。

「いやいや、なにも頭を下げたりしなくてもいいですけど。まぁ、とにかく話を始めましょう。——さて、クリエイターと一言で言っても色々ありますが、佐藤さん、あなた一体、何がやりたいんですか？」

「え？　だからクリエイター……」

「クリエイターという職業はありませんよ！」山崎は声を荒げた。「小説家とか、漫画家とか、そーゆー職業を総称して、クリエイターって言うんです。つまり作家です。……だから佐藤さんは何が作りたいんですか？　僕はそう訊いてるんです」

「クリエイターって肩書きがつくんなら、何でもいいよ」

「……ぐっ」

山崎は右拳《みぎこぶし》をきつく握りしめた。

そして気を取り直したのか、今度は「はあ」と大きなため息を吐いた。

「ま、まぁ、良しとしましょう。それじゃあ、佐藤さん、あなた、どんな技術があるんですか？」

「技術、と言うと？」

「絵がうまいとか、作曲できるとか、凄《すご》いプログラムが組めるとか、いろいろあるでしょうが」

「……なんにも、できない。しいて言うなら、一年間、誰とも会わなくたって生きていけ――」

「ぜんぜんダメじゃないですか！」山崎は両手を床に叩《たた》きつけた。

「だからダメなんだよ！」俺も怒鳴り返した。しかし山崎は腰を浮かせて、さらに大迫力で畳みかけてきた。

「なんの技術もない奴が、そうそう簡単に作家になんかなれるわけないでしょう！　都合のいいことばっかり言ってちゃダメですよ。いいですか。このまえ佐藤さんは、僕が夜アニに通ってるって聞いたとき、笑ったでしょう？　あぁいいんですよ隠さなくても。……ですがね。こと創作に関する話では、明らかに僕の方が佐藤さんより格上です。それを知っててくださいよ」

その長ゼリフには、かなりの威圧感があり、俺は思わず何度もうなずいてしまう。

するとと山崎は、ふいにくたんと力を抜いた。

「……いや、クラスのバカどものことを思い出しちゃって、ついつい興奮しちゃいました。

あいつらみたいに、口先ばかりの奴が一番腹立つんですよ。……なんにもできないくせに、群れやがって」

どうやら俺は、学園生活に関する彼の葛藤《かっとう》を刺激してしまったらしい。コーヒーなどを飲ませて、落ち着かせてやることにした。

床に散らばったゴミクズの中から、まだ使われていない紙コップを拾い、押入れの中に設置されているポットからお湯を注ぐ。さらにベッドの下などをあさってみると、煎餅《せんべい》の徳用パックなどが出てきた。

俺たちはその煎餅を食いつつ、コーヒーを飲んだ。

一息つくと、山崎は本題に戻った。

「それじゃあ、今度は具体的に考えていきましょう。音楽――は、かなりのセンスと技術を必要とするから、佐藤さんには無理ですね。プログラムは――数学とか苦手でしょう？だから無理。絵――も、無理ですよね。一度佐藤さんが描いた絵を見たことがあります。だからマンガも不可能。ならば――」

山崎はそこでハタと膝《ひざ》を打った。

「佐藤さん、あなた文芸部員だったでしょうが！」

「……だから？」

「小説ですよ小説！」

俺は顔をしかめた。

「やだよそんなの。俺、中学生の頃に作文書かされたっきり、長い文章なんて書いたことないよ。そもそも小説なんて、地味でダメ——」

またもや山崎は俺を睨《にら》んだ。鼻息が荒かった。小声で「……いいかげんにしろよな」と呟いていた。

俺は軽い恐怖を感じたので、話題を変えることにした。

「——と、ところで山崎君、君、学校ではどんなことをやってんの？　やっぱりアニメ？　セル画に色を塗ったりとか？」

山崎は首を横に振った。

「夜アニって言っても、いろいろな学部があるんですよ。僕が通っているのは、ゲームクリエイター学部です」

——ゲームクリエイター？

その単語を聞いた瞬間、俺は思わず興奮した。

ゲームクリエイター、その響き。それはいかにも最先端だった。現代の花形職業だ。小学生が憧《あこが》れる職業、そのナンバーワンだ。

脳裏に浮かぶイメージ、それはランボルギーニカウンタックを乗り回す業界人。銀座の高級クラブで接待されて、ヘッドハンティングで札束が飛び交い、発売された超人気ソフトには長蛇の列が。そして悪い高校生が、品薄のソフトを小学生からひったくり、六時のニュースで取り上げられて、だけどそれでも、ゲームクリエイターは大金持ちだ。

高給取りだぜ、年収一億だぜ、格好いいぜ！

最高だ！

俺はコーヒーの残りを一息に飲み干すと、山崎の手を取った。

「俺と一緒にゲームクリエイターを目指そう！」

＊

すでに時刻は午後十一時を回っていた。山崎は十杯目のインスタントコーヒーを啜《すす》っていた。俺は腹が減ったので、インスタントラーメンを作った。山崎は怒った。

「勝手に人の食料、減らさないでくださいよなぁ！」

俺は頭を下げつつ、ラーメンに胡椒《こしょう》を振りかけた。

ラーメンを啜っていると、山崎は訥々《とつとつ》と語り始めてくれた。

「ゲーム作りってのは、素人には不可能です」

「そこをなんとか」

「現代のゲームってのは、総合芸術です。さまざまな専門技術が組合わさって、初めてまともなゲームが完成します。佐藤さんなんかは、お呼びじゃありません」

ちょっと見ないうちに、ずいぶん生意気な口を利くようになったなぁ――などと絡んでやろうかとも思ったが、よくよく思い出してみれば、こいつは昔から生意気だった。そうなのだった。この男は、ひ弱なクセに、誰にでも言いたいことを言う男なのだった。『お前たちはバカだ！』とか『あっち行け』とか、クラスメートにも堂々とそんなことを言う。だからこいつはイジメられていた。まったくの自業自得だ。

俺にだけは丁寧な口を利くが、無職中退のひきこもりという俺の正体を知ってしまった今現在、面と向かって「ダメ人間！」とバカにしてくるのも、もはや時間の問題だろう。

――が、そんなことはどうでもいい。ともかく俺は、なんとしてもゲームクリエイターにならなければいけない。業界人にならなければいけない。だから頼むぜ山崎君。

「頼まれても困るんですってば。いくら佐藤さんの頼みでも、世の中にはどうにもならないことだってあるんですよ」

「そこをなんとか！」

「大体ねぇ、女の子に尊敬されたいとか、そーゆーバカげた動機で始める物事が、そうそう長続きするワケがないんですよ。すぐにヤル気が無くなるに決まってるんです」

「そんなことはないぞ！　俺は本気だ！　燃えている！」

「……明日は学校なんですよ。僕、もう眠いんですけど」

「岬ちゃんに尊敬されたいだけじゃないんだ！　もしもゲームクリエイターになれたのな

らば、ひきこもりからも脱出できるじゃないか！」

「無理ですよ」

「無理じゃない！」

「ダメですよ」

「ダメじゃない――」

俺の懇願は、その後一時間ほども延々と続いた。

なだめ、すかし、怒鳴り、「お前が学校に行ってる間に放送されてるアニメ、俺が録画しておいてやるから。CMカットもしてやるから」とご機嫌を取ったところで――ついに山崎は譲歩した。

「……佐藤さん。本気なんですね」

それは真面目な声だった。

「あ、ああ。俺は本気だ。マジメだぜ」

「それならば――たったひとつだけ、佐藤さんでもゲームクリエイターになれる方法があります。ですが――」

「ですが？」

「それはおそらく血塗られた道です。どこまでも険しく苦しい、誰もが逃げ出したくなる、そんな方法です。ましてや佐藤さんのような一般人では――」

山崎の顔はどこまでもどこまでも深刻で、俺は思わず、ごくりと喉《のど》を鳴らしてしまう。

だが——もはや決意は固まっている。

俺はやる。

「……どんなことでも俺はやる」

「それは本当ですか？」

俺はうなずく。

「絶対ですね？　途中で『やーめた！』ってのは、ナシですよ」

もう一度、俺は大きくうなずいてみせる。

山崎は十一杯目のコーヒーを淹《い》れた。俺は一気に二杯目のラーメンを啜りこんだ。

「……わかりましたよ佐藤さん。ならば話しましょう。僕の目論見《もくろみ》を話して聞かせましょう」

山崎は身を乗り出して、低い声でささやいた。

「いいですか？　現在のゲームは、あまりにも大規模です。大量のデータと緻密《ちみつ》なプログラムが必要で、僕たち素人には絶対に手が出せません。せいぜい、一昔前のファミコンゲーム程度を作るのがやっとです。それでは到底、ゲームクリエイターを名乗ることなどできません」

「だったら——」

口を挟《さしはさ》もうとする俺を、山崎は素早く遮った。

「いいから聞いてください。……方法は、あるんですよ。予算もない、仲間もいない、極々限られたリソースしかない——そういった貧しい状況でも、だけど、方法はあるんです。ろくなプログラムが組めなくても、ヘボい音楽しか用意できなくても、五十枚程度のCGと、小説一本分ぐらいのシナリオさえあれば、ただそれだけでオッケーな、そんなゲームのジャンルが存在するんです！」

山崎の声には、いまや紛れもない情熱が込められていた。

「そ、そのジャンルとは？」俺の声もうわずっている。

「プログラムは、フリーのゲーム用インタプリタを借用すればオッケーです。音楽もフリー素材のCDから適当に抜きましょう。そしてCGは僕が描きます。佐藤さんはシナリオです」

——シナリオ？　あぁ、どうせ、『悪者に攫《さら》われたお姫様を主人公が助けに行く』って感じのお話を、適当にこさえればいいんだろう？

「ああ、ゲームのシナリオぐらい、いくらでも書いてやるよ！……だから、そのゲームのジャンルは？」

「やってくれますか佐藤さん！」山崎は俺の肩を叩《たた》いた。

「よし、やろう山崎君。俺たち二人でゲームを作ろう！　だからゲームのジャンルは？」

「ＣＧとシナリオさえ良ければ、がつんと有名になれますよ。ゆくゆくはプロだって目じゃありません。同人で一儲《ひともう》けしたら、会社だって作れます」

「おお、会社！　それは凄《すご》いな山崎君。君が社長だ。俺は副社長だ！……だからゲームのジャンルは？」

「やるんですよね？　佐藤さん」

「……あぁ、やるよ」

「ここまできたら、後戻りはできませんよ」

「しつこいなぁ」

「それじゃあ、握手です。明日に向かって、僕たちは駆け抜けましょう！」

山崎は俺の手を取り、固く握りしめた。

「僕たちは、同志です」

「だから、ゲームのジャンルは？」

「僕たちは、仲間です！」

「ゲームのジャンルは？」

「僕たちはクリエイターです！」

「……だから、ゲームのジャンルはなんなんだよ？」

何度目かのその問いに対し、ついに山崎は胸を張って答えた。

「エロゲーです！」

……誰か、助けてくれ。

＊

ふらつく足取りで自室に戻ろうとする俺を、山崎が引き留めた。

「これが資料です。早いところ、目を通しておいてください。これだけの数のゲームをプレイすれば、業界の傾向が理解できるでしょう」

彼はそう言って、ゲームのパッケージを三十本ほど俺に手渡した。

そのパッケージには、「責」「濡」「虐」「淫」「縛」「学園」「監禁」「陵辱」「鬼畜」「純愛」「調教」「アドベンチャー」などなどといった、普段あまりお目にかからない種類の単語が大量にちりばめられていた。

俺は泣きたくなった。しかし山崎は笑っていた。

「十八歳未満購入禁止のゲームですよ。エロいゲームですよ。つまりそれこそエロゲーですよ。エロゲーこそが、僕たちに残された唯一の道なんです。エロゲーでクリエイターになりましょう。エロゲーでクラスの奴らを見返してやりましょう。エロゲーで億万長者になりましょう。エロゲーで世界に羽ばたきましょう。エロゲーでハリウッドに進出しましょう。エロゲーで文化勲章をもらいましょう。エロゲーでノーベル――」

その笑顔はどこまでもどこまでも晴れ晴れとしていて、「やーめた！」と言って逃げ出せるだけの雰囲気は、もはやどこにも残されていなかった。

五章　二十一世紀のハンバート・ハンバート

1

たとえば蛍。蛍の美しさを思い描いてみてください。

一週間足らずの短い命、その儚《はかな》さを、その美しさを、今こそ僕たちは思い起こしてみるべきです。

蛍の雌は、雄と交尾をするためだけに輝き、雄は雌と交尾をするためだけに瞬きます。しかし、交尾を終えると彼らは死ぬ。つまり「子孫を残す」という本能、ただそれこそが、最高にして唯一の、蛍の生涯目標なのです。

その単純な本能と、単純な世界には、いかなる種類の哀しみさえも、決して介在することがありません。

だからこそ蛍は儚く、そして美しい。

あぁ！　蛍、最高！

……ですが一方、今度は僕たち人類を振り返ってみてください。そうすれば、そこに広がっているのは、あまりにも複雑な社会です。

人間は本能の壊れた動物である。

――確か、フロイトの言葉でしたか。

生活の中の様々な悩み、怒り、哀しみに接するとき、僕はこの言葉を思い出さずにはいられません。

本能の壊れた動物である人間は、「恋」や「愛」という近代的概念によって、自らの本能を綺麗《きれい》に覆ってしまいました。だけど当然、そこには欺瞞《ぎまん》があります。その欺瞞を覆い隠すために、さらに人類は新たな概念を生み出します。だから世界は日を追うごとに複雑になっていくんです。しかしその複雑さは、壊れてしまった本能が生み出す様々な矛盾を、完全に隠しきってはくれません。

そして生み出されるのは、絶望的な二項対立です。

言葉と本能。

思考と肉体。

理性と性欲。

これらの対立概念は、互いの尻尾《しっぽ》に食《く》らいついている二匹の蛇のようなものです。二匹の蛇は、自らの優位を確立するために、つねに激しい闘争を繰り広げています。ですから蛇は、ぐるぐる回ります。ぐるぐるぐるぐる回り回って、ますます僕たちは苦しみます。わかりますか？　僕の言ってること、理解できてますか？

え？　全然意味がわからない？　なら、別にそれでもいいですよ。

ともかくですね、僕の言いたいことは――

「うっせえよ！　死ね！」

俺は枕を山崎に投げつけた。コタツの上に腰を下ろしている山崎は、上体を反らしてひらりと枕をかわし、さらにぶつぶつ演説を続けた。

「――壊れた本能によって、僕たちは苦しんでいる。理性によってねじ曲げられた本能によって、僕らはひたすら苦しんでいる。ならば僕たちはどうするべきか？　知恵を放棄する？　理性を捨てる？　しかしそれは不可能です。善かれ悪しかれ、遥《はる》か昔に僕たちは知恵の実を食ってしまいました。このまえ宗教勧誘のオバサンから貰《もら》った『目を覚ませよ！』に、そう書いてありました」

「だからなんだよ！　深夜二時に俺を叩《たた》き起こしたかと思えば、人の部屋で酒を飲みながら意味不明な演説しやがって、お前は一体なにを考え――」

「対立する理性と本能、しかしそのどちらをも、消し去ることは叶《かな》いません。ならば僕たちはどうするべきなのか？――適当なところで妥協して、女とつきあってみたりする？結婚して子供を作ってみたりする？　ええ、確かにそれが普通のやり方です。しかしですね。僕は知ってるんですよ。女ってのは、アレ、人間じゃありませんよ。むしろ限りなく化け物に近いんです。一年ほど前に、僕はその事実に気がつきました。学費を稼ぐためにコンビニでバイトしてた頃、だいぶいろいろあったんですよ。あまりにも最悪な思い出で、もう思い出したくもないですがね」

そこまで一気に喋《しゃべ》ったところで、山崎は俺の冷蔵庫から二本目のビールを取り出した。止めるまもなくプルトップを引き開けて、一気に飲み干しやがる。

そうして彼は、唐突に叫んだ。

「――女はクソだ！　女は死ね！」

すでに山崎の顔面は、嫌な感じに赤い。完全に酔っぱらっているらしい。

この男、すぐに酔うクセに、しょっちゅう酒を飲んでいる。若年性アル中なのではないかと疑ってみたこともあったが、いつだったか彼は教えてくれた。

『北海道の実家がワイン工場でね。中学の頃から酒を飲んでるんです。だから僕は大丈夫なんですよ！』

どこらへんが大丈夫なのか、それはぜんぜんわからない。だが――一度酔っぱらった山崎は、怒鳴ってもすかしても自分の気が済むまで演説をやめない。経験上、俺はその事実を知っている。

「…………」

どうしたものかと途方に暮れていると、彼はがっくりと肩を落とし、今度はぼそぼそと呟《つぶや》いた。

「女はクソだ。人間だもの、……しかしいかんせん、僕にも女の子とつきあいたいと思ってしまう時もある。それはしかたがない。……だが、だがしかし、またもや僕は、酷《ひど》い思いを味わった。

――クラスで一番可愛い娘《こ》がいた。名前は七菜子《ななこ》ちゃん。オタク女が全国から集合している僕の学校でも、その娘だけはそこそこに見れる顔をしていた。そして一方、自分で言うのもナンですが、僕はなかなかに格好いい。この華奢《きやしや》な体と整った容貌《ようぼう》によって、イジメられたり、女子にイタズラされたりしたこともあったが、僕の格好よさは、今となっては人生における大きなアドバンテージに違いない。だからこそ僕は、七菜子ちゃんにこう言った。

『つきあおう！』

……しかし七菜子はこう答えた。

『ゴメン、山崎君って、ちょっとアレだし。それにあたし、今、和夫《かずお》君とつきあってるから』

アレってなんだよ？

ていうか、和夫って、あの脂ぎった男か？

僕が、いや、このオレが、わざわざご丁寧にコクってやったのに、おいおいちょっと、そりゃねえぜ！」

山崎は両手を振り回して、大声でわめいた。

「身の程を知れよなクソ女が！　つーかヤらせろよ！　ふざけんなよ！」

俺は激しい恐怖を感じた。彼の隠された一面を見てしまったらしい。

すると、俺の表情に気がついたのか、山崎は慌てた様子で嘘くさい笑顔でとりつくろった。

「は、はははは！　いやいや、冗談ですよ。全部、嘘ですよ。まさかこの僕が、女に告白したりするわけないですよ。現実の女なんて、クソばっかりですからね。……僕はねぇ、中学生の頃に、姉ちゃんの友達に強姦《ごうかん》されかかって以来、現実の女は見限ってるんですよ」

さらに衝撃的な話を聞かされてしまった。

「…………」

俺は平静を装って、タバコをふかした。

山崎はますます大声を出した。

「……な・ん・て・ね！　全部嘘ですよ。僕が言ったことは、全部嘘です。ははは、僕、ちょっと酔ってるなぁ。……ん？　なんですか佐藤さん。僕をそんな目で見ないでくださいよ。なんですかその憐《あわ》れみと軽蔑《けいべつ》と恐怖が入り交じったような微妙な視線は？　み、見るなよ。僕をそんな目で見るなよ！」

どうしていいものやら、俺はすっかり参ってしまった。

＊

つまり、山崎の言いたいことを要約すると。

——現実の女は、ろくなもんじゃない。しかし人間には、女とヤりたい本能がある。理性は女を拒絶しているが、本能は女とヤりたくてしかたがない。だから困った。

などなどといった感じの話になるらしかった。

んなこと俺に言ってもしょうがねぇだろうが！　と叫びたかったが、俺は大人なので、ぐっと堪《こら》える。

考えてみれば、彼も不幸な人間なのだ。現代社会の歪《ひず》みだかなんだかによって、彼の精神はすっかりねじ曲げられてしまったのだ。

——可哀想になぁ。

「いいえ、僕はちっとも可哀想じゃありませんよ」

「無理すんなよ。……あ、そうだ。風俗に行けよ。そうすればモヤモヤがスッキリするらしいぞ！」

「……だからさっきから言ってるでしょうが。僕は現実の女には見向きもしないんです」

「現実の女以外に、どんな女がいるんだよ？」

その質問をした瞬間、彼は、いまにも泣き崩れそうだった弱々しい姿勢を立て直し、しゃきっと胸を張った。

ニヤリと笑い、言う。

「すぐ近くにいるじゃないですか。まだ気づかないんですか？　佐藤さんも、ここ一週間、彼女たちの魅力にメロメロだったはずでしょうに」

「…………」

「僕が何を言おうとしているのか、佐藤さんは、もう気づいているでしょう？」

俺は軽い圧迫感を感じ始めた。

「二次元の世界に住む彼女たちは、なんと愛《いと》おしいことでしょうかねぇ。ディスプレイの中の彼女たちは、なんと素敵なことでしょうかねぇ」

「…………」

まったく、これほどに回りくどい演説をされてしまっては、もはや山崎の情熱を認めてやるしかない。

「わかったよ山崎君。……エロゲーは素晴らしい文化だ」

「わかれば良いんですよわかれば。エロゲーこそが、人類の知恵が本能に勝利するための、唯一の道標です。エロゲーこそが僕らの希望なんです。ですから佐藤さん、そろそろゲームの企画はできましたか？」

「も、もう少しだけ待ってくれ。……しかし、君が貸してくれたエロゲー、傾向が偏ってるような気がしないか？」

「と、言いますと？」

「こう、なんというか、登場キャラの年齢が低すぎるというか、どう見ても小学生にしか見えないヒロインばかりが登場するというか——」

「は！　いまさら何を言ってるんですか佐藤さんらしくもない。もともとエロゲーのヒロインたちは、二次元のCGによって描かれた架空の存在にすぎないんですよ。ならばその無垢《むく》さ純潔さ女らしさを表現するにあたって、幼女キャラほどに最適なデフォルメは他にありえないでしょうに。幼女という記号によって、我々は安心するんです。——我々の弱々しい精神に打撃を与える可能性のない二次元キャラ。しかもその上、社会的肉体的精神的に最弱な、幼女というモチーフ。その二重のセイフティーロックによって、僕たちの脆弱《ぜいじゃく》な精神は完全に保護されるんです。傷つく心配から逃れられるんです。すなわちそれこそ萌《も》え萌えです。わかりますか？　わかるでしょう？」
「…………」
俺はさんざん彼の言葉に頭を捻《ひね》った末に、
さっぱりわかんねぇよ！
と怒鳴ろうとした。が、その頃にはすでに、山崎は俺の部屋から消えていた。
しかし、コタツの上には置き土産が残されていた。
山崎のプレゼント、それは一枚のCD－Rだった。

2

翌朝になってから、俺はよくよく考えてみた。

どうも山崎は、昨日、女にフラれたらしい。そうして彼は、やけ酒を飲みつつ決心したらしい。

——現実の女なんか、もう絶対にクソくらえだ。僕にはエロゲーがある。

などといった感じの強い決意を固めたらしい。

しかし——それだけならば何も、わざわざ俺に向かって自らの恥をさらけ出したりする必要はない。自分が凄《すご》いロリコンであると、明言する必要はない。ずいぶんと無茶苦茶な理論で武装していやがったが、つまるところ、あいつはエロゲー好きのロリコンだ。危険人物だ。

「…………」

というか、予想以上に山崎はヤバい。

昨夜プレゼントされたCD－Rの中身をパソコンで確かめてみたところ、俺はかなり慄《りつ》然《ぜん》とした。

――いや、なんというか、これはマズいぜ。ヤバすぎる。

七百メガバイトのCD－R、そこにはぎっしりとjpeg画像が詰まっていた。その画像は、写真だった。小学校高学年と思われる少女のポートレートだった。

しかも少女は、全裸である。いわゆる、ヌード写真である。

「…………」

俺はおもむろに、部屋のカーテンを閉め切った。児童ポルノ規制法が施行されている現在、このCDは、あまりにも危険すぎる。山崎のせいで、無実の俺までが牢屋《ろうや》にぶち込まれかねない。

まったく、何を考えているんだあの男は？　CGで我慢しとけよ！

そう文句を言ってやりたかったが、彼は現在、夜アニに登校中だ。

「…………」

十五インチのディスプレイの中で、全裸の少女はニッコリと微笑んでいるのだった。

俺は胸が痛くなった。息苦しい。

頭を抱えつつも、とりあえずフォルダの中身を隅々まで調べてみる。すると、ひとつのテキストファイルを発見した。

そのファイルをエディタで開く。

『どうですか佐藤さん！　かなりビビッてるでしょう？　ですが高クオリティなエロゲーを作るには、やっぱり生の資料が欠かせません。この実写画像で、イマジネーションをガンガンに膨らませてください。ロリコン界の至宝とも呼ばれている、ニシムラリカの写真集です。全部ソフトコア画像なので、安心してて結構ですよ。さぁ、リカちゃんの笑顔で、素敵なエロゲーを作りましょう！』

「……あんのやろう」

俺は怒りに打ち震えた。そもそもいつ俺が、ロリータ系エロゲーを作ることに同意したというのか？　自分の趣味を俺に押しつけるなよなぁ、まったく。

……だけど、んん？

よくよく考えてみれば、だ。

もしかしてあいつは、俺を同志に仕立てあげようとしているのではないか？

光源氏《ひかるげんじ》の時代ならまだしも、この現代において、ロリコン者は社会的に抹殺されるべき存在である。当然、同好の士を見つけだすことは限りなく難しい。だからこそ山崎は、エロゲー製作の同志であるこの俺を、手っ取り早くロリコン仲間にグレードアップしようと企《たくら》んでいるのではないか？

「………………」

いや、このような勘ぐりは、ただの下世話な憶測に過ぎず、あくまであいつは純粋に、良質なエロゲーを作ろうとしているだけなのかもしれない。事実、現在のエロゲーシーンにおいて、幼女系のヒロインは決して少数派ではない。エロゲーという病んだメディアの特質を、もっとも端的に象徴しているのが、ロリータ系のキャラクターと言えないこともない。

そう言えば、エロゲーの別名は『美少女ゲーム』である。

美女ゲームではなく、美少女ゲーム。

……そのあたりに、何か深い病巣が隠れているようではある。

「美少女ゲームなんて名前のソフトが巨大な市場を確立しているこの日本は、この先一体、どうなってしまうんだろう」

ともかく俺は、立派な社会問題を考えるフリをして、なんとかムリヤリ思考停止した。

それから恐るおそる、ニシムラリカの写真集を、パソコンのディスプレイで観賞した。

そうして、数刻の時が流れた。

俺は戦慄していた。

……ニシムラリカは、実際、可愛い。

「いいい、いいや違うぞ！　これは一時の気の迷いだ！」

薄暗い六畳一間に、その雄叫《おたけ》びは虚《むな》しく木霊《こだま》した。そしてリカちゃんが俺に微笑みかけていた。そのあどけない笑顔。するどく浮き上がった肋骨《ろっこつ》。どこまでもしなやかな肢体。

俺はごくりと唾《つば》を飲みこみ、震える指先でマウスをクリック。すると次の画像がディスプレイに表示されて……あぁ、リカちゃん。

「違う！」

俺は頭を振りかぶり、渾身《こんしん》の力を込めて部屋の壁に打ち付けた。がこんと音がした。涙が出た。痛かった。しかしリカちゃんが微笑んでいる。……あぁ、リカちゃん。

「違う違う！」

俺は慌ててインターネットエクスプローラーを起動した。

――そうなのだ。リカちゃんが特別に美少女すぎるのがいけないのであって、何も俺がロリコンなわけではない。たまたまリカちゃんの可憐《かれん》さにグラッと来ただけで、俺はぜんぜん正常だ。だから別のロリータ画像をネットで探そう。他のロリータ画像を見たならば、そのときこそ俺の正常さが証明される。なぜならば、リカちゃん以外のロリータ画像などには、俺はちっとも興奮しないに決まってるからだ。

「…………」

しかし、ロリータ画像の探索は困難を極めた。やはり児童ポルノ規制法の影響だろう。ネットの表面を探索してみただけでは、国際電話を利用した詐欺サイト程度しか発見できない。

だが、俺のネットサーフィンスキルを舐《な》めてもらっては困る。これでも俺は、ネット接続歴四年のベテランなのだ。

希少価値のあるデータを探すには、掲示板を巡るに限る。それがこの世の法則である。

そこで俺は、ひとまずロボット型のサーチエンジンを用いて、エロ画像情報系の掲示板を検索することにした。

しかし——あぁ、なんてことだ。数千件ものページがヒット。検索条件を絞り込んでも、なおも数百件がヒット。数が多すぎるぜ。

とりあえず一番上のページを開いてみる。その瞬間、恐ろしい勢いで、無数のブラウザが勝手に開く。

「くそっ！　やはり罠《わな》か！」

有料エロページにありがちな、JavaScriptを用いたブラウザ多重オープン攻撃である。

しかしそれでも、俺は怯《ひる》まない。

「そうかわかったぞ！　インターネットエクスプローラーには、荷が重すぎるんだ。こんなときこそタブブラウザにチェンジだぜ！」

——タブブラウザ。ひとつのウィンドウで、複数のウェブページを同時に閲覧できる優れものブラウザのことである。俺はそのタブブラウザの中でも、最も安定性に定評がある「donut」をダウンロードし、即座に起動した。

「おお！　なんて軽快なブラウジングなんだ！　この調子では、目指すページにたどり着くのも間近だな！」

リソースが許すギリギリまで複数のページを同時に開き、それを片っ端から調べていく。

ロリータ画像、ロリータ画像……

掲示板に書き込まれたリンク全てを新しいタブで開き、開いた先のページに存在するリンクをも、端から端まで確認し——

目指すはアングラ系のエロ画像掲示板。

有料ページに騙《だま》されるな！　拡張子がexeのファイルには注意しろ！　邪魔な広告は、ポップアップ抑止ソフトで鎮圧だ！

時計の針は回転し、窓の外は、すでに夜。六畳一間を照らす灯《あか》りは、青白く光るディスプレイ、ただそれだけ。蛍光灯をつける手間すらもったいない。

驚異の神速キーボードタイプ！　うなれ光速のマウス捌《さば》き！

野性の勘で、広大なネットを駆け巡れ！

俺は野獣だ！

オオカミだ！

3

……気がつけば、すでにあれから一週間もの時が経過していた。

俺はマウスとキーボードから、数十時間ぶりに我が身を解放した。

風呂《ふろ》場に向かい、鏡を覗《のぞ》く。

そこに映し出されているのは、どうしようもないデンジャラスパーソン、すなわち危険人物、つまり俺。

伸びた無精髭《ぶしょうひげ》、脂ぎった頭髪、虚《うつ》ろな瞳《ひとみ》、緩んだ口元——

汚らわしい、乱れきった、腐臭のする、誰もが避けて通る、近寄りたくない、悪夢のような、大学中退の、無職の、ひきこもりの——

ロリコン男がそこにいた。

「……うぅぅ」

俺は風呂場の床に、力無く崩れ落ちた。

……どうしてこんなことになったんだろう？

もう、取り返しがつかない。俺は、俺は、全世界のロリータ画像を収集してしまった。画像だけでは飽きたらず、MPEGやRealMovieやらの動画にすら手を出してしまった。三十ギガのハードディスクはもう満杯だ。可哀想な少女たちの、あられもない姿で一杯なのだ。

……もうダメだ。もうダメだよう。ひきこもりのロリコンなんて、そんなの最悪じゃん。人間以下じゃん。ケダモノじゃん。生きていけない。もう二度と日の光の下を歩けない。

あぁ、確かに俺はひきこもりだった。しかしそれでもロリコンではなかったはずだ。あくまで嗜好《しこう》は正常であり、むしろ年上が好きだったはずだ。それなのに、それなのに――

「ぅぅぅ。……ぅぅぅー」

堪《こら》えきれない嗚咽《おえつ》がこみ上げてくる。涙もぽとりと床に落ちる。

贖罪《しょくざい》の涙だった。

……そう。悔い改めたいのだ。俺はもう、悔い改めたいのだ。

しかしいまさら、それはまったく手遅れだった。

『ノゾミちゃんは可憐だなぁ』などといった独り言を呟《つぶや》くようになってしまったこの俺は、もうすぐ地獄に落下する。

『キヨミちゃんは凄《すご》いなぁ。中一なのに、凄いなぁ』などといった感想を呟くようになってしまったこの俺は、まもなく地獄に墜落する。

『ロシア人はハードだなぁ。アメリカ人も、酷《ひど》いことするなぁ』などといってニヤつく俺は、十割の確率で地獄に堕《お》ちる。

あぁ……ごめん。ごめんなさい。あやまります。本当に、そんな気は無かったんです。ほんの気軽な気持ちだったんです。最初は冗談のつもりだったんです。それなのに、それなのに――

「……うぅ」

苦しい。苦しいよう。胸が苦しいよう。罪悪感で張り裂けそうだよう。ロリコンになんてなりたくなかったよう。ただのひきこもりでいたかったよう。それなのに、それなのにいまや、俺は最高級のロリコンひきこもりだよう。史上最強のクズ人間だよう。

だけど聞いてくれよ。それは違うんだよ、誤解なんだ！　俺は監禁なんかしたくないぞ！　誘拐とか、そんなのしたくないぞ！　違うんだよ！　あの事件の犯人は俺じゃない！　信じてくれ！　トラストミー！　そんな目で見るなよ！　俺を見るなよ！

……だけど赤いランドセルが、そして縦笛が。公園で遊ぶ無邪気な少女が。

……あぁ。

『お兄ちゃんと遊ぼうか？』

『飴《あめ》をあげるよ』

『スカートを』

『お医者さん』

『注射』

――もうダメだもうダメだもうダメだ！

死のう死のう今すぐ死のう！

「…………」

だけど――んん？　なんだよ。うるさいな。

「佐藤さん！　いるんでしょう？　開けてくださいよ」

遠くから、どこか遠くから、誰かが俺を呼んでいた。

「佐藤さん！　生きてるんですか？　死んでるんですか？　生きてるんなら開けてくださいよ！」

ドアが、アパートのドアが、激しくノックされていた。

だけども俺は、もはや人前に姿を現せるだけの資格を持っていない。だから放って置いてくれ。

「……なんだ、本当にいないんですか？　……せっかくスンゲー裏ビデオ貸してやろうと思ったのに」

俺は立ち上がり、涙を拭《ふ》いて、ドアを開けた。

俺の話を聞くなり、山崎は顔をしかめた。『呆《あき》れかえった』という表情をしていた。

「一週間も部屋に閉じこもってエロ画像集めてたって——あんたそれ人間失格ですよ」

「大体なぁ！……全部お前が悪いんだよ」

「んなこと言ったって、結局は佐藤さんの素質じゃないですか」

「お、お、俺をロリコンに引き込んでおいて、それをお前、罪悪感は感じないのかぁ！」

「だから、アレはただの資料だって言ってるでしょうが。三十ギガもエロ画像を集めた佐藤さんは、そもそもぜんぜん普通じゃないっすよ。僕でもかないませんよ。近寄らないでくださいよ、気持ち悪いから」

「……く、く、く」

怒りのあまり、視界が真っ赤に染まった。両手がぷるぷると震えていた。

「ま、まぁ、いいから機嫌直して、そろそろゲーム製作の話、本腰を入れて進めましょうよ。ほら、ビデオも貸してあげますから」

俺は山崎の手からビデオテープを奪い取ると、膝《ひざ》に叩《たた》きつけてまっぷたつにへし折った。

「なな、何を——」

そうして俺は、たったひとつのロリコン脱出方法を思いついた。

真剣な表情で山崎を睨《にら》む。

「山崎君」

「なんですか？……ビデオ、弁償してくださいよ」

「ロリコンってのは、人間じゃない。ケダモノだ」

「………」

「だから俺たちは脱出しよう。二人で脱出しよう。今すぐ抜け出さないと、一生ロリコンで終わってしまう！　急げ！」

俺は強引に山崎の手を取ると、部屋の外へと連れだした。

＊

一度山崎の部屋に入り、彼の所持品であるデジカメを手に持つ。そして再び外に出て、俺は早足で住宅街を歩く。

五月の昼下がり、街はぽかぽかと暖かく、しかし人通りは少ない。

「どこに行くんですか？」

俺は答えず、目的地を目指す。

途中、コンビニによって、使い捨てカメラを購入した。それを山崎に手渡し、さらに先を急ぐ。

時刻は午後三時。最高のタイミングだ。

「デジカメの他にも使い捨てカメラだなんて、一体なんに使えって言うんです？」

山崎は息を切らしながら質問した。

目的地にたどり着いたところで、俺は答えてやった。

「君が、俺を、撮るんだよ」

「はぁ？」――

「ここが、どこだかわかるか？」

「えーと。見たところ、小学校の校門前ですね」

「そうだ。生田小学校だ。生徒数約五百人の公立小学校だ。そうして俺は、校門前の植え込みの陰に姿を隠す。山崎君、君も身を隠しなさい。ほら、急いで」

「は、はぁ」

「もうすぐ終業のチャイムが鳴るぞ。そうすると、小学生がこの校門から溢《あふ》れだしてくる」

「……そうっすね。それで？」

「俺は、撮る」

「な、何を？」

「しょ、小学生を」

「…………」

「君のハイテクデジカメで、俺は可憐《かれん》な美少女を激写する」

「…………」

「わ、わかるか山崎君？　俺はこれから盗撮する。春の少女を盗撮する。もしかしたら、パンチラ写真なんかを撮ってしまうかもしれない。だけど大丈夫だ。この植え込みの陰にじっと息を潜めて隠れていれば、俺たちは決して見つからない。だから俺は小学生を撮る。可愛い子だけを狙って、撮りまくる」

チャイムが鳴った。

あと数分で、小学生がこの校門から溢れだしてくることだろう。

「そして山崎君。君は俺の姿を、その使い捨てカメラで激写するんだ。小学生を盗撮する醜い俺を、最高に汚らしいロリコン男を、君はばっちり激写するんだ！　わかるか？　ただこれこそが、ロリコンからの脱出方法なんだ！　わかるか？　君にはわかるか？　この俺の、醜い姿。しかし、それは同時に君の姿でもある。醜くて惨めで汚らしいその姿を、君はフィルムに焼き付けるんだ。そうして、あとでそのフィルムを現像して一緒に観賞しよう。そうすれば、自分たちの醜さ汚さ不様さを客観的に眺めることができる。そのときこそ俺たちは、ロリコンから脱出できるだろう。正常な人間に戻ることができるだろう――」

昇降口から、少女たちのざわめきが響いてきた。

俺はデジカメを構えた。もうすぐだ。

「準備はいいか山崎君！　撮るぞ。もうすぐ一人目が来る。そのとき俺は、盗撮するぞ！　だから君も、俺を撮れ！　わかったか？　わかったら返事をするんだ山崎君！

……おっと、いきなりかなりの美少女が現れたぜ！　白ワンピに黒タイツに焦げ茶のブーツをはいているぜ！　素敵だぜ！　萌《も》え萌えだぜ！　聞いているのか山崎君！　俺はシャッターを押すぜ！　だから君もシャッターを押しなさい！……しかしストロボは焚《た》くなよ。バレるからな。見つかったら、マジで警察直行だぜ。

……あぁ。このスリル。血湧き肉躍るスリル。興奮するぜ。ドキドキするぜ。最近の小学生は可愛いぜ。そして俺はシャッターを押すぜ！

バシッ！　バシッ！　ナイスショット！

あの素敵な小学生、おそらくは六年生の女の子、仮に名前をサクラちゃんとしよう。そのサクラちゃんが、うしろから来る友達に向かってくるりと振り向いたその瞬間！　その斜め四十五度の最高角度を、俺は逃さずゲットだぜ！

へへへへ、聞いているのか山崎君？　ちゃんと俺を撮っているのか山崎君。俺の醜い姿を細大漏らさず写しておけよ、でないと、まるっきり俺、ただの変態だからな。

……しかし、おお！　ますます大量に小学生が溢れ出てきたぜ。見よや、あの生命力に満ちあふれた美しくも可憐な少女たちを。俺は撮るぜ。撮るぜ撮るぜ撮るぜ！

春風よ吹け！　突風よ、巻け！　そしてスカートを！

……だけど、本当にそこにいるのか山崎君。俺はデジカメのファインダーを覗《のぞ》き込んでいるからわからないけど、ちゃんと俺の右斜め後方にいるんだろうな山崎君。ちゃんと俺の醜い姿を撮っておけよ。わかってるんだろうな？

……な、なぁ。本当に聞いているのか山崎君。おい、何とか言えよ。俺がこれほど頑張って、小学生のパンチラ写真を狙ってるんだ。君も俺の熱意に打たれて、ハートを燃やしたっていいだろうに。聞いているのか？　おい、何とか言えってば！

……ま、まぁいいさ。確かに俺たちは犯罪行為を犯している。ビビって声が出せなくっても、それは当たり前だ。そもそも君は、気が小さいからな。まぁいいよ。

……しかしなんだな。盗撮って、面白いな。そしてこの俺は、限りなく醜いな。……あぁ、そうだぜ。俺だって、本当はこんな汚い人間にはなりたくなかったぜ。小さかった頃は、東大に入って偉い学者になるのが夢だったんだぜ。人類の役に立つ、凄《すご》い発明をするのが夢だったんだぜ。……それが今や、ひきこもりのロリコンだ！……だからお前は泣いてしまえばいい。あぁ、そうだよ。泣くんだよ！　この俺の醜い姿に涙を流せ！

……俺たちだって、軽快に朗らかに、毎日を笑って、普通に平凡に、すがすがしい日々の生活を送りたかった。だけどもそれは、理解しがたい運命の荒波によって、なぜだかまったく不可能になってしまった。だからあぁ悲しいなぁって、お前は泣け！　本当は、みんなの役に立つ人になりたかった、みんなに尊敬されたかった。みんなと仲良く生きていきたかった、それなのに今じゃ、ロリコンひきこもりだよって、絶望して、泣け！　泣くんだ！

……うぅぅ。悲しいなぁ。凄く悲しいなぁ。だけど小学生は可愛いなぁ。興奮するなぁ。……うぅぅ。うぅぅー。涙が止まらないよう。ファインダーが曇ってよく見えないよう。だけど俺はまだまだ少女を盗撮するぜ。だから山崎君、君も頑張って俺を撮るんだ。悲しいけれど頑張ろう。涙が止まらないけど頑張ろう。頑張って小学生を盗撮しよう！

……ん？

なんだよ。いきなり俺の肩を叩《たた》いてどうしようってんだ？　どうかしたのか？

おいおい、うるさいなぁ。今、良いところなんだよ。

ほら見ろよ、あのニーソックスを穿《は》いたショートカットの女の子。可愛いよなぁ。持って帰りたいよなぁ。小脇に担いでテイクアウトしたいよなぁ。……ん？　しつこいなぁ君も。今、忙しいんだよ！　まったく、どうしたんだ山崎君。そんなに肩を叩くなって、カメラがブレるからさ。……おいおい、ホントにうるさいってば。なんなんだよ急に。君もおかしな奴だなぁ」

「……佐藤君、佐藤君ってば」

「シッ！　静かにしろよ、バレるだろうが！」

「こんな所で何やってるの？　佐藤君」

「だから決まってるだろうが、あのショートカットの女の子を——」

「女の子を？」

「とうさ——」

そのときだった。

俺は何気なく、ファインダーから目を離した。すると、俺の肩に置かれている手のひらが、視界の隅に映った。細くしなやかなその指先——男の指ではありえなかった。

俺は背後を振り返った。

そこにいたのは岬ちゃんだった。

心臓が通常の五十倍速で脈打ちはじめた。

そよ風が吹いていた。

時間が止まった。

＊

いつの間にやら山崎は消え、彼のかわりに、岬ちゃんがいた。

しかも今日の岬ちゃんは、宗教ルックに身を包んでいた。

地味な長袖《ながそで》ワンピース。白い日傘。

その格好で、俺と一緒に、植え込みの陰にしゃがみ込んでいるのだった。

「……い、い、い、いつからそこに居たの？」

「ついさっき」

俺のセリフをどこまで聞いた——と訊《き》こうとして、俺は思いとどまった。

どちらにせよ、もはや絶体絶命だ。

小学校の校門の陰で、デジカメを首からぶら下げている怪しい人間。そんな男を目の前にしたら、誰だって気づく。変態だと。

すでに、万事休した。

……あぁ。

ごめんなさい、お父さんお母さん。

大学を中退してしまったばかりでは飽きたらず、性犯罪で牢屋《ろうや》にぶち込まれてしまう。まったく俺は、できの悪い息子だった。どうしたらこの罪が償えるのだろう？

……しかし、もはや時間は残されていないのだった。俺の顔をしげしげと覗き込んでいる岬ちゃんは、もうすぐ大声でわめきはじめることだろう。

『変態がいます！　誰か来て！』

——いやいや、きっとそれどころではおさまらないに違いない。

なぜならば、今日の彼女は宗教ルックに身を包んでいる。そして、宗教といえば厳しい戒律だ。汝《なんじ》、姦淫《かんいん》を犯してはならない。当然、小学生に欲情するなどもってのほかだ。だからこそ、ロリコン男には神の怒りが降りそそぐ。

――そう。

『神はすべての罪を知っている！（ルカ　18：18）』と言って、岬ちゃんは俺を脅すだろう。

『み子に従わない者は命を見ない！（ヨハネ　3：36）』と言って、俺を震え上がらせるだろう。

『罪の報いは死！（ローマ　6：23）』と言って、神の怒りの業火に、俺を投げこもうとするだろう！

だから――あぁ。

……もう、絶対に、おしまいだ。

俺は天を仰ぎ、裁きが下る瞬間を待ちかまえた。

人生が閉ざされる瞬間。未来が閉鎖されるその瞬間。それはまもなくのことだった。

しかし――いつまで待っても、岬ちゃんは俺を糾弾しなかった。

視線を岬ちゃんに戻すと、彼女は俺を、上目づかいに覗き込んでいた。植え込みの陰に身を隠した姿勢のまま、しばし無言で見つめ合ってしまった。

そうしてついに、岬ちゃんが口を開いた。

「さっき、両手で顔を隠して、アパートの方に走って逃げていく山崎君を見たよ。それで、何かなって思ってここを覗いてみたら、佐藤君がいたから——」

「……山崎のこと、知ってるの？」

「202号室の人でしょう？　あの人、ずいぶん嬉《うれ》しそうに『目を覚ませよ！』を貰《もら》ったからね。珍しぃよ」

「へ、へぇ。面白い奴だねぇ」

「……やっぱりあたし、邪魔だった？　佐藤君、なにか忙しそうだったけど」

「いいい、いやぁ！　それほどでもないというか、なんというか。……ときに岬ちゃん、君はこんなところで何をやってるわけ？」

俺は話題をそらそうとした。なんとなく逃げ切れそうな気配がしてきたのだ。

「あたしは宗教勧誘の帰りだよ。和子オバサンと、ここを通りかかったんだけどさ。オバサンには先に帰ってもらったよ」

「へぇ、そうなんだ。……ところで、その宗教ルック、素敵だね。日傘を差してるところなんか、いかにも宗教って感じだよね」

するとと岬ちゃんはうつむいた。

「……これ、変装なんだよ」

微妙に顔を赤らめて、そんなことを言う。

「はぁ？」

「あたしだって勧誘するの、本当は大変なんだから。……だから街の人に顔を覚えられないように、わざわざ日傘を差してるの！」

なぜだか妙に、力強い言い訳をしてくれる。

やはり彼女は依然として謎めいていた。底が見えない。

「…………」

が、ともかく、今こそ脱出のチャンスなのだった。このまま逃げてしまえ。

「それじゃ、もう行くから」

俺は立ち上がった。岬ちゃんも日傘を閉じて、起立した。

そのまま俺は、ぎくしゃくと歩き出した。植え込みの陰から歩道へと乗りだし、アパートへの道を、早足で——

しかしそのとき、背後から声がかけられた。

「佐藤君ってさ」

「……何？」振り返らずに訊《き》く。

「実はロリコンだったの？」

心臓が破裂するかと思った。

俺は聞こえないフリをして、さらに歩くスピードをあげた。

岬ちゃんは、さらに言った。

「別にロリコンでも良いけどさ。……もしかしたら、その方が都合が良いかもね。ひきこもりのロリコンって言ったら、もう最高だもんね。人間ランクの最下位だもんね」

「……………」

俺は足を止めて振り返った。

岬ちゃんは、いつもと同じ、変わらぬ笑顔を浮かべていた。

「うん。考えてみれば、ロリコンの方がいいや。その方があたしのプロジェクトにはバッチリだと思うよ」

そして彼女は、ぴょんと飛び跳ねた。はしゃいでいるらしかった。けれどもそれは、やっぱりいまいちワザとらしい仕草に見える。

俺は精一杯冷静な声で言ってやった。

「なんだかよくわかんないけどな、とにかく俺は、ロリコンでもひきこもりでもないぞ。

……く、クリエイターだ！　資料に使う写真を撮っていただけさ」

「へぇ」

「ホントだぞ」

「また会おうね。……ニュースに出るようなことは、やっちゃダメだよ」

岬ちゃんはすたすたと歩き去っていった。

五月の午後のことだった。

六章　追憶、そして誓約

1

ゴールデンウィークが来たと思ったら、いつの間にやら梅雨が終わっていた。月日が素晴らしいスピードで、俺の目の前を流れ流れ流れ過ぎていった。

しかしこの一ヵ月、それなりに様々なイベントが発生した。

たとえばこの前、深夜のコンビニで岬ちゃんとバッタリ会った。岬ちゃんは、俺に一枚のワープロ用紙を手渡した。その紙は契約書だった。黒いボールペンで大きく『契約書』と書かれていたので、それはおそらく契約書に違いない。

あと、一週間ほど前に、高校の頃の先輩と渋谷で待ち合わせをした。喫茶店などに入って、ちょっとばかり歓談などをした。だいぶドキドキしたが、それほど特筆するべきこともない。

それと、親がリストラされた。来月から仕送りが止まる。

一方、俺の隣人、山崎の方も、最近になってにわかに発生してきた世知辛い事態に、かなりいろいろ参っているらしかった。

『第一次産業を営む父親が、肝臓を悪くして入院』

『そして山崎は、長男である』

『実家の仕事を継ぐべきか、否か？』

しかし実際、もはや彼には選択肢が残されていないように見える。今すぐ実家に帰って、酪農とワイン造りを引き継ぐのがベストな選択だろうと思う。

が――なにやら彼には、両親との間に深い葛藤《かっとう》が存在しているらしい。

『あいつら、金があるクセに、僕を進学させてくれなかった』

『酪農学校に、勝手に願書を出しやがった』

『それで僕は、自分で一年間、コンビニと警備員のバイトをして夜アニの学費を稼いだ』

『それを、いまになって、ふざけるなよ！』

よくわからないが、山崎は怒っているようだった。

それでも彼は、激しく怒りつつも、すべての問題を先送りにすることに決めたらしい。問題が破局を迎えるその瞬間まで、知らないフリをしておくことに決めたらしい。俺もとりあえず、彼に倣って現実逃避することにした。

現実逃避と言えば、エロゲー作りである。

もはや今となってはほとんど意味のない、まったくもって無駄で無意味な創作活動に邁《まい》進《しん》する俺たちだった。

本当ならば、一刻も早くひきこもりから脱出して、就職活動しなきゃいけないのに……

だけどなぜだか、俺は笑顔で呟《つぶや》くのだ。

「やっぱりロリータ系は、かんべんな」

「ええ、佐藤さんの好みで結構ですよ。この前の小学生盗撮会は、ホントに捕まるかと思いましたからね」

んなことはどうでもいいんだよ、いますぐ就職活動しなきゃ身の破滅なんだよ！　と叫ぶべきなのに……

俺はまたもや笑顔で言うのだ。

「今日からシナリオ書くよ」

「よろしくお願いしますよ。ゲームの出来は、佐藤さんのシナリオにかかってます」

「わかってるさ。気合いを入れて書くよ。全力でエロゲー作るよ！」

……あぁ。

モラトリアムここに極まれり。

天晴《あっぱれ》！

というか最低！

＊

事実、辛《つら》い現実から目を背ける逃避活動には、エロゲー製作こそがまさに最適なのだった。そもそもエロゲーというゲームのジャンル自体に、現実逃避的要素が限りなく多分に含まれている。

二台の巨大なタワー型パソコンに腰を下ろした山崎が、演説を始めた。

「そうなんですよ。現実逃避こそがエロゲーの本質です。そこで我々クリエイターは、楽しい現実逃避体験をプレイヤーに提供しなければなりません。

……現実世界には、辛いことが溢《あふ》れかえっています。我々男子をバカにする女子。我々男子を軽んじる女子。コンビニの店長と二股《ふたまた》をかけやがってたあのクソ女。僕の青春を弄《もてあそ》びやがった短大生。それら様々な辛いことで、この世の中は、大変です」

後半はずいぶんと具体的な話だったが、俺は無言で次のセリフを促した。山崎は烏龍茶《ウーロン》で一息ついてから、さらに朗々と声を張り上げた。

「つまり、現実の女は、ろくなもんじゃありません。限りなくモンスターに近い生き物なんです。──そこで！」

「そこで？」

「そこで我々エロゲークリエイターは、現実には決して存在しない、どこまでも都合のいい女性キャラクターを創造する必要があるんです」

——都合のいい女性キャラ。

山崎は説明した。

「理由もなく主人公を好きになり、純粋な好意のみによって主人公に近づいてくる、そんなキャラクターです。なにひとつ下心を持っていない、そのうえ、決して主人公を裏切らない——そのような、現実には決して存在しえないキャラクターです」

「だけど、それほどに現実離れしたキャラを登場させたら、リアリティーがなくなってしまうんじゃないか？」

「いいんですよ。プレイヤーはエロゲーにリアリティーなんて求めてません。ヘタにリアリティーを出そうなんて考えても、結局はプレイヤーをゲンナリさせてしまうだけです。現実的なキャラクターと恋愛がしたかったら、エロゲーなんかやらずに、本物の女に声をかければいいんですよ」

「なるほど」

「とはいえ一応、キャラクター創造におけるテクニックというものも、あるにはあります」

「というと？」

「普通の女性キャラをポンと登場させて『彼女こそが最高の理想的ヒロインだ！』などと

宣言してみても、さすがにそんな言葉には真実味のかけらもありません。ですから『理想的ヒロイン』が理想的であるがゆえの、その理由付けを、設定上のテクニックによって、しっかりと補強しなければならないのです。

たとえばテクニックその一、幼なじみ。

主人公の幼なじみをヒロインにすることによって、小さい頃からの仲良しという強い絆《きずな》が発生します。その幻想によって、どこまでも都合のいい理想的ヒロイン像に、ある種の説得力が生じます。

そしてテクニックその二、メイド。

メイドさんをヒロインにします。メイドという職業特性によって、ヒロインと主人公との間に主従関係が発生します。その幻想によって、どこまでも都合のいい理想的ヒロイン像に、ある種の説得力が生まれます。

さらにテクニックその三、ロボット。

ロボットをヒロインにします。ロボットは人間に逆らえないので、『下心を持っていない』『主人公を裏切らない』という理想的ヒロイン像に、ある種の説得力が──」

「……ろ、ロボットって？」

「ロボットはロボットですよ。ロボットをエロゲーのヒロインにするんです」

「…………」

ずいぶんとシュールな話だが、山崎はさも当然という顔をしていた。

「つまり、エロゲーキャラクター製作のポイントはですね、ヒロインが主人公に逆らえない理由を、ヒロインのキャラ設定中に織り込んでしまうことなんです。主人公の命令ならば何でも聞く、聞かざるを得ない、そして無条件に主人公を好きになる——そのような理由を、できる限り物理的に設定してやればいいんです」

俺は、あまり深く考え込まないようにしようと思った。

やけくそ気味に言ってやる。

「同級生で幼なじみのメイドロボットってのはどうだ？」

「いいですね、その設定！」山崎は真顔で答えた。

「……さらに前世で、主人公と恋人同士だったたって設定は？」

「さ、最高っすよ！」

「そのうえ病弱で、目も見えない、口も利けない。頼れる人は主人公だけ——ってのは？」

「完璧《かんぺき》じゃないですか！」

「さらにアルツハイマーで——」

「ナイスですよ！」

「しかも分裂病」

「パーフェクト！」

「だけど本当は宇宙人だった」

「グレイト！」

その後数時間に及ぶ打ち合わせの結果、我々が製作するエロゲーのヒロイン設定が、ついに決定した。

『主人公の幼なじみのメイドロボット。だが彼女は、盲目で聾唖《ろうあ》で病弱で、しかもアルツハイマーで分裂病の宇宙人だった。だけど本当は幽霊。主人公とは、前世からの絆がある。しかしその実、正体は狐』

「すんげーっすよ！　カンペキッすよ！　萌《も》え萌えっすよ！」

「こ」

「なんですか佐藤さん？　さっそく今日からシナリオ書いて――」

「こ、こ」

「……こ？」

「こんなん書けるかぁ！　……俺の好きにやらせてもらうからな」

俺は山崎を足蹴《あしげ》にすると、自室に戻った。

すでに時刻は深夜二時。

「どうなってしまうんだろう？　俺たちは」などと悩んでみることもあるが、しかし結局はひきこもりのダメ人間だ。限界が来るまで、現実逃避を続けることにした。

そう！　現実逃避と言えばエロゲー製作である。

だからさっそくシナリオを書くぜ！

2

あっさりと数日が経過した。

『悪の巨大組織に立ち向かう戦士たちの、愛と青春の旅立ち』云々《うんぬん》の、極めて適当なストーリーを、俺は思うがままに書き散らしていた。

最初のうちは驚くほどに順調だった。スラスラと書けた。自らの文才に打ち震えた。

が、すぐに俺は、大きな問題に気がついた。

俺が書いているこのテキスト、それはすなわちエロゲーのシナリオだ。

エロゲーのシナリオである限りは、エロいシーンが必要になる。

つまり、エロ小説的な文章で、イヤらしいシーンをしっかりと描写しなければならないのだ。濡《ぬ》れ場をじっくり描かなければならないのだ。

……それは、辛《つら》い。

何が悲しくて、二十二歳のこの俺が、エロ小説もどきを書かなければならないのか？　辛すぎる。

部屋に籠《こ》もって早三日。

すでに作業は困難を極めていた。シナリオは一時間に一行も進まない。語彙《ごい》が。語彙がないのだ。

エロ小説における特殊な比喩《ひゆ》。それが俺の脳内に整備されていなかった。

まったく、迷ってしまう。

単語ひとつ選ぶのに、えらく手間取る。

そしてなにより——恥ずかしい。こんなにも恥ずかしい文章を書いているこの俺は、一体ぜんたい、何を考えているのだろう。現実逃避にもほどがある。

暗い部屋で一人、赤面してしまう。心拍数があがる。冷や汗をかく。キーボードを打つ手が止まる。……もうイヤだ。

エロシナリオなんて書きたくない。あぁ、もうイヤだ。

本当に、イヤだ。

だけどそれでも俺は勇気を振り絞り、全身全霊をかけて文章を構築する。

なぜならば、エロゲー製作をやめた瞬間、必死で忘れようと努めている現実の問題が、大迫力で目の前に迫って来るに違いないからだ。辛い現実を直視せざるを得なくなるに違いないからだ。

それはマズイ。それはダメだ。

だからこそ俺は、以前購入したフランス書院文庫を参考にして、ひたすらエロシナリオを書く。

単語を探せ！　比喩を見つけろ！

しかし……なんとも疲れる作業だった。書いては削除。書いては削除。

そろそろ頭が変になりそうだ。

『男はジッパーを下ろし、ジーンズを膝《ひざ》まで』

『い、いやあぁ』

『――姉さん姉さん姉さん』

『柔らかな乳房を』

『しごきあげた』

ダメだ。削除。

『怒張した』

違う。削除。

『雄々しくそそり立った』

ダメだ！　削除削除削除。

『天を貫く』
ふざけるな！　削除だ削除だ削除だ。
『濡れそぼった』違う！
『毒々しいサーモンピンク』違うってば！
『てらてらと光る』ダメだ！
『べっとりと下腹部に張り付いた』やめろ！
『ぬるぬると』もうイヤだ！
『脈打ち』もうダメだ！
『ラヴィアが』俺は。
『シェル・ピンクの』俺は、俺は。
『白濁した』俺は……
『小ぶりの乳房を』
『みずみずしい』
『汗ばんだ』
『もっと強く』
『い、いやぁ』
『甘い吐息が』『ふくらみをこすりつけ』

『ツンと尖《とが》った』『揉《も》みしだく』『起伏』
『入力される』『ヒップが』『唇から』
『グラインド』『甘えた』『子猫のような』
『女体の』『張りつめた』『俺は、俺は……』
『怒張』
『股間《こかん》への』『可愛い』『切迫』
『硬くしこった』『淡いピンクの』『見たいんだ』
『うん、いいよ』『あられもない』『何ひとつ覆う物がなくなった』
『船底形のシミが』『恥丘に』『秘裂が』『もうイヤだ』
『ヘソのすぐ下に』『秘部が』『胸を高鳴らせ』『もうおしまいだ』
『怒張』
『秘めやかに息づいている』『シンプルな』『茂みが』
『あふれた蜜《みつ》が』『人差し指で』『まるで、おもらしを』
『じれったそうに』『淫《みだ》らな』『粘膜の』『俺の人生って』
『怒張』
『ピストン』『卑猥《ひわい》な』『裂け目』『未来が見えない』
『怒張』

『粘着音』『濡らし』『熱い』
『ぬかるみ』『突き立てる』『包皮』
『柔肉』『ほんのりと上気した』
『淫靡《いんび》な』『もう死んだほうがいい』
『怒張』
『怒張』
『天を貫く』
『そそり立つ』
『怒張』
『怒張』
『怒張』
『怒張』
『怒張！』
「うがあああああああああああああああああ」
俺は頭をかきむしった。
全削除全削除全削除……
フランス書院文庫などを手本にしたのが、そもそもの間違いだったのだ。フィクションを参考にしてフィクションを書くから、どんどん描写が変になっていくのだ。気が狂いそうになるのだ。

「…………」

だからオーケイ。落ち着け俺。

深呼吸して落ち着いたら——今度は自らの実体験を参考にして、もう一度最初からやり直してみよう。そうしたならば、自らが体験したノンフィクションによって、真実味のあるエロシーンが描けるはずだ。

実体験、実体験——

エロゲーに使えそうな実体験となると、かなりの過去を持ち出してくるしかない。五年ほど昔まで遡《さかのぼ》る必要がある。

五年前の、楽しかったあの頃——それはすなわち高校時代だ。

「…………」

俺は目を閉じ、回想してみた。

するとすぐに、その回想シーンの行く先が、精神的に厳しい方向に向かってしまうと気がついた。

俺は慌てて目を開けて、考えるのをやめようとした。しかし、一度方向づけられた思考のベクトルは、もはやとどまるところを知らなかった。

「…………」

＊

明るく朗らか高校時代。

爽《さわ》やか青春、高校時代。

高校時代と言えば、ほろ苦い恋愛である。世間一般では、そのように取り決められている。

実際俺も、恋愛していた。恋愛シミュレーションゲーム並みに、ドキドキする毎日を送っていた。

たとえば俺は、先輩が好きだった。部活の先輩が好きだった。

文芸部に所属しているだけあって、先輩は結構な読書家なのだった。だけどそのくせ大馬鹿野郎なのだった。

先輩は俺の目の前で『完全自殺マニュアル』を読んでいた。

俺は思う。

そうゆう振る舞いは格好悪いからやめた方がいいのに。スンゲー可愛いんだから、普通にしてりゃあいいのに——

だけど先輩は一向に気にする気配を見せなかった。

「なんですか、その本は」

と、しかたがなしに俺が訊《き》くと、先輩は照れ笑いを浮かべて、こう言ったものだ。

「自殺ってのも、ちょっといい感じだと思わない？」

そのころ彼女は、つきあっていた男と酷《ひど》い別れ方をしたとかなんとかで、それなりに落ち込んでいるようだった。

「あのさぁ佐藤君。自殺とかする人ってどう思う？」

そんなことすら訊いてきた。

「いいんじゃないですか。その人が自殺したいんだったら、たぶんそれはその人の自由だと思います。他人がどうこう言うことじゃないでしょう」

「ふーん」

先輩は俺のつまらない返答に感銘を受けるわけもなく、気の抜けた返事をして、膝《ひざ》の上の本に再び目を落とした。

そしてまた、ある日の放課後。

二人だけのトランプに俺が飽きてしまった頃、先輩は言った。

「あのさぁ」

「なんですか」

「佐藤君はさ。やっぱりさ。あたしが死んじゃったりしたら、悲しんでくれたりするのかな？」

その唐突な問いに自分がどう答えたのか、俺にはどうしても思い出せなかった。

ただ数日後、先輩がその細い手首に白い包帯を巻いて学校に来たことだけは、はっきりと覚えていた。

……まったく、呆《あき》れかえってしまう。どこまで本気で死ぬ気だったのかは知らないが、少しは恥じらいというものを覚えるべきだろう。

「頭の悪い女子中学生じゃないんだから」

すると、先輩は言った。

「あたし、頭の悪い女子高生だから」

志望校は早稲田《わせだ》のくせに、堂々とそんなことを言う女だった。

「ところであたしたちの問題は、どこにも悪者がいやしないってことだよね」

そんな意味不明なセリフを、胸を張って言う女だった。

「誰も悪くないのに。バスケ部の水口君も、あたしも、もちろん佐藤君も、誰も悪い人はいないのに。だけどなぜか、いろいろなことがマズイ方向に転がっていくよね。変だよね」

「変なのは、先輩の頭でしょうよ」

「救急病院から出てきたばっかりの女の子に、そんな冷たいことを言うものじゃないよ佐藤君。……ところであのさぁ佐藤君、佐藤君は知ってる？　あたしたちは何も悪くないのに、ずいぶんとむやみにいろいろ辛いことが身のまわりに起こる。それはなぜかというと、巨大な組織があたしたちに悪い陰謀をしかけているからで」

「はいはい」

「ホントだよ。このまえ風の噂で聞いたんだけど」

「……はいはい」

頭がおかしいフリをするのが好きな女だった。それでもずいぶんと美人だったので、俺は彼女が好きだった。

卒業式の数日前に、一発ヤらせてもらったりもした。

二年間、ひたすら彼女のご機嫌をとって、その見返りがこの一発かと思うと、それなりに感慨深いものがあった。やたらと興奮したが、なぜか悲しい心持ちもあった。

しかし結局、うまい具合にヤれたのは、その一回だけである。

もっと何回もヤッておくべきだったような気もした。いやいや、むしろ一回もヤらない方が良かったような気もした。

実際、どうなんだろう？

あぁ——

渋谷の、コジャレた喫茶店で「どうなんですか？」と俺は訊いた。

数年ぶりに出会った先輩に、俺は訊いた。

この前の日曜日に、いきなり何の前触れもなく電話がかかってきたのだ。『会おうよ』と先輩は言った。俺はのこのこ出かけていった。

待ち合わせ場所はモヤイ像前だった。ちょっと地方出身者っぽい行動だったが、事実俺たちは地方出身者なので、特に問題ない。

出会い頭に、先輩は言った。

「佐藤君の実家に電話をかけて、佐藤君の今の連絡先を教えてもらおうと思ったら、君のお母さんにセールスマンと間違われて、だいぶ胡散《うさん》くさがられたよ」

「あぁ、よくあるんですよ。学校の同級生を名乗って、名簿を集めようとする業者――」

数年ぶりに再会して、一番最初の会話がこれかと思うと、ちょっとげんなりした。

――が、記憶に違《たが》わず先輩は、やはりばっちり可愛かったので、俺はだいぶドキドキした。ついでに、ひきこもり特有の視線恐怖と広所不安がやってきた。

喫茶店に入っても、冷や汗が止まらなかった。

窓際の席に座った先輩は、アイスコーヒーなどをストローでかき回しながら訊いた。

「あのさぁ佐藤君、君、今、なにやってるの？」

俺は包み隠さずに本当のことを答えた。笑顔で。

　すると、先輩も笑った。

「もしかしたら、そんな感じになってたりとか、ちょっとは予想済みだったけどね」

　俺は自慢してやった。

「いやもう、籠《こ》もり籠もってもう四年ですよ！　プロフェッショナルのひきこもりです！」

「やっぱり今も、外に出るのは大変なの？」

　俺はうなずいた。

「なら、良いものがあるよ」

　先輩は、小さなバッグからピルケースなどを取り出して、何やら小粒の錠剤を俺に手渡した。

「これ、リタリン」

「なんすかそれ？」

「抗鬱《こううつ》剤。覚醒《かくせい》剤の親戚《しんせき》みたいなクスリだから、すっごい効くよ。これでいつでも元気でバリバリ！」

　先輩は、今もやっぱりおかしい人だった。精神科を三つほど掛け持ちしているそうだ。

　それでも彼女の心遣いは、なかなかに嬉《うれ》しかったので、俺はありがたく、そのあやしげな抗鬱剤をいただいた。

そしたら元気になった。

俺たちは無駄に陽気に会話を交わした。

「高校時代は、佐藤君、普通だったのにね。……いや、そうでもないか」

「先輩は、今、何やってるんです？」

「無職」

「大学は卒業したんでしょう？」

「そうだけど、だけど今は無職。……もうすぐ主婦になるけど」

「へぇ、結婚するんですか」

二十四歳の若奥様か。萌《も》え萌えだ。

「ビックリした？」

「それなりに」

「悲しい？」

「まさか」

「どうしてさ？」

「どうなんですか？」

喫茶店を出た。先輩は俺の周りをくるくるとふらつきながら、にこやかに笑っていた。

そして「あたし、今、幸せだよ」と言った。堅実な国家公務員、金持ち、それでいて格好いい、つまりは最高な人との結婚だ！　と自慢してくれた。

「難しく考えちゃダメだよ。複雑なことを考えたらダメだよ。ハッピーだよ」

そのセリフはひたすらに陽気で、どうやら彼女も例のクスリを齧《かじ》っているらしい。

人混みをすいすいとすり抜けながら、先輩は言う。

「あの頃、ちゃんと付き合っておけば良かったかもね。佐藤君、凄《すご》くあたしが好きだったんでしょ？」

「凄くヤらせてもらいたかったです」

「ごめんねホントに。毎日トランプなんかしてる場合じゃなかったよね」

「別れ際の一発ってのは、だいぶキツイものがありました」

「もしかして、君がひきこもっちゃったのも、あたしのせいかもね」

「……それはぜんぜん関係ないですよ。もっとこう、別の大きな——」

「巨大組織とか？」

「ええそうです。巨大な悪い組織に、俺はすっかりやられちゃったんです」

「あたしも、ねえ。悪い組織にたぶらかされたよ。もうダメかもしれないよ——」

そして先輩は唐突に、子供が出来たと教えてくれた。

「スゲー！　マジスゲー！　母親じゃん！」

俺はビックリした。

「だから結婚するの。これであたしは人生合格！　もう、バッチリ軌道に乗ったよ。あとはもう、このまま一直線に行けると思うよ」

先輩は、俺の前方一メートルを、てくてく早足で歩いていた。だから表情は窺《うかが》えない。しかしその声色から察するに、事実正しく浮かれている。ハッピーなのだ。そうに違いない。

「良かったですね。良かったですね。良かったですね」

俺は同じセリフを三回連呼して、彼女の新たな門出を盛大に祝った。

「佐藤君、辛《つら》くない？」

先輩は足を止めた。

「いや、別に」

俺も立ち止まった。

「なんか知らないけど、あたしは辛いよ」

いつのまにやら、ここはホテル街だった。

真っ昼間だというのに、女の肩を抱いて歩く奴が、数組ぶらぶら歩いていた。俺はちょっと興奮した。

「不倫とか、しようか？」

そんなことを言って先輩は微笑む。

「若奥様と不倫！　テレビみたいですね！」俺はますます興奮する。

「一回しかヤらせてあげなかったから、可哀想だからね」

「…………」

俺たちはホテルの前で、真正面から向き合っていた。

ものすごく休憩していきたかった。

だけど二人とも、笑っていた。

「……先輩は、今、幸せなんでしょう？」

「そうだよ」

「もはや先輩は、巨大な組織の手の届かないところにいるんでしょう？」

先輩は、もう一度、「そうだよ」と言った。

「なら、俺は帰ります」

俺は前屈《まえかが》みになりつつそそくさと立ち去った。

すれ違いざま、先輩の横顔を盗み見た。

涙が流れていた。

そりゃあねえぜと俺は思った。

まったく、先輩のように、可愛くて気だての良い人間ぐらいは、にこやかに健やかに軽やかに、誰もが羨《うらや》むぐらいの幸せをゲットしたっていいはずなのだが。あーゆー可憐《かれん》な人ぐらいは、悩みのない人生を送ってくれても良さそうなものだが。

しかし現実は、またしてもまたしても、ロクでもなく陰鬱《いんうつ》で、どうしようもない。やるせない怒りがあった。だけども、腹を立てて殴りつける、その相手が見つからない。巨大な組織。願わくば、巨大な悪の組織が存在していて欲しいのだが。それが俺たちの願いだったのだが――

「………」

嫌なことばかりが溢《あふ》れていた。世の中は、複雑でグチャグチャな、ワケの分からない、理解しがたい、不幸と悲しみに包まれていた。

大学の友人は自殺した。『夢に破れて恋にも破れたので死にます』などと、頭の悪い遺書を残して自殺した。小学校の同級生は結婚して離婚した。男手ひとつで二児を育てるヤマダ君、白髪が生えてて笑ってしまった。男と同棲《どうせい》してたカズミちゃん、実家に帰った。公務員を目指してたユウスケ君、試験に落ちた。エロゲーを作る山崎君、夢やぶれた。

『僕は自分の才能を試す。……いや、別にエロゲーじゃなくてもいいんですけど、何かをやって、やって、やってやる』

酒に酔っぱらってそう宣言した彼の未来も、もはや牛を追う酪農家だ。逃げ出すすべは、見あたらない。

みんな笑っていたのだが。みんなはしゃいでいたのだが。

同窓会とかコンパとか、そうゆう場所では楽しげで、カラオケなんかも楽しげで、あの頃みんな、楽しげで、このさき未来は完璧《かんぺき》だ！　俺たちは何にでもなれる！　なんだってできる！　幸せになれる！　そう確信していたはずだったのに——

そうなのだ。じわじわと、本当にじわじわと、あまりに遅くて気がつかないほどの、どこまでもどこまでもイヤらしいスピードで、俺たちはゆっくりと追いつめられているのだ。困ったり、参ったり、泣いてみたりしてみても、どうしようもないのだ。誰もがみんな、いつかは大変な目に遭うのだ。それは遅いか早いかの違いだけで、結局いつかは、ものすごくやりきれない事態に陥ってしまうのだ。

だから——俺は、怖いんだ。

かなりいろいろ、怖いんだ。

なぁ先輩。

俺はダメですよ先輩。あなたが見合いでゲットした公務員なんかよりも、俺は五百倍ぐらいヘボい人間です。だから俺にはどうしようもない。すんげーヤりたかったけど、余計に辛く、なるだけだ。別にカッコつけてたわけじゃない。あぁ不倫したかったなぁ。しかしそれは無理なんだ。無理に決まってる。自分のことすら手が回らない、情けないひきこもりのこの俺には、あなたを喜ばせてやるだけの力は無い。……いや、テクニックがどうとかって話じゃなくて。

あぁ、俺だって、強い人間になりたかったさ。頼りがいのある、そこにいるだけで周囲を明るくする、そんな人間になりたかったさ。幸福をばらまきたかったさ。

しかし現実は、ひきこもりだ。外を恐れるひきこもりだ。

なんか知らないけど怖くて怖くてしかたがないんだ。

だからもう、ダメなんだ――

＊

来月、仕送りがストップする。そのとき俺は、どうしよう？

この生活も、もうすぐ終わる。

いっそ人生、終わらすか？

「…………」

俺はエロゲーのシナリオを書いていたパソコンの電源を切り、とりあえず山崎に電話をかけた。『ごめん、シナリオ、もう書けない』と謝ろうとしたのだ。

だが電話は話し中だった。耳を澄ますと、隣室から怒鳴り声が聞こえてきた。

『どうしてそうゆう話になるんだよ！』

『そもそも僕は、自分の金で、こっちに来たんだ。あんたらの指図を受ける義務なんて、どこにもない！』

などなど、どうやらまた親と揉《も》めているらしい。

どこも大変だ。

俺もそろそろ本格的に、生きていく勇気がなくなってきた。

一句浮かんだ。

梅雨明けて、すかっと爽やか、スーサイド

俺は頭《かぶり》を振った。とりあえず、今日のところはもう寝よう。

パジャマに着替えてベッドに横になろうとした。

「…………」

そのとき、テレビの上に置いてあった一枚の紙切れが目に留まった。

それは、岬ちゃんからもらった契約書だ。

いつだったか、コンビニの雑誌コーナーでマンガを立ち読みしていると、いつの間にやら背後に岬ちゃんがいた。彼女は『今度会う時までに、サインとハンコを押しておいてね』と言うと、鞄《かばん》の中から一枚の紙切れを取り出して（ずっと持ち歩いていたらしい）、俺に手渡した。

「…………」

その紙切れ――すでに何度も目を通しているその紙切れを、俺はもう一度、手にとって読んだ。

やはりそれは、あまりにもバカらしい、どこまでも意味不明な文面の、頭が痛くなってきそうなしろものだった。しかし、マックスに神経衰弱している今の俺には、妙に魅力的な紙切れでもあった。なので、ついつい俺は、その契約書にサインをして、ついでにハンコを押してしまった。

「…………」

その契約書をポケットに突っ込み、近所の公園へと赴く。

夜。

月が出ていた。どこかで犬が吠《ほ》えていた。

ブランコ脇のベンチに座り、ぼんやり夜空を見上げていると、唐突に岬ちゃんがやってきた。今夜も宗教ルックではない、通常の衣服に身を包んでいた。

俺の隣に腰を下ろし、訊《き》いてもいないことを弁解してくれる。

「別に、毎晩毎晩、あそこの窓から公園の入り口を監視しているワケじゃあないよ」

俺は笑った。

その小さな笑い声が消え去って、犬の遠吠えも鳴りやんで、聞こえてくるものが、遠くの方の救急車のサイレンだけになった頃に、岬ちゃんは訊いた。

「ゲーム作り、終わったの？」

「あ、あぁ、エロゲー製作は結局中止になった。——って、なんでそれを？」

「この前、山崎君がマンガ喫茶に来たとき、小耳に挟んだんだけど。ところでエロゲーって何？」

「……エロアとガリオアの略だよ。要するに、EROA——占領地域経済復興資金と、GARIOA——占領地域統治救済資金のこと。第二次大戦後のアメリカ占領地における、疾病や飢餓などの社会不安を防止するために、アメリカ政府が——」

「それ、大嘘でしょ」

「うん」

「クリエイターってのも、やっぱり嘘でしょ」

「うん」

「本当は、無職のひきこもりなんでしょう？」

「……うん」

俺は契約書を差し出した。岬ちゃんはそれを素早く奪い取ると、ぴょん、と飛び上がった。

「ようやくその気になってくれた。これで佐藤君は、もう大丈夫。ちょっとの訓練で、広い世界に旅立っていけるよ」

「……岬ちゃん、結局あんた、何者だ？」

「だから前から言ってるでしょう。苦しんでいる若者を救済する親切な娘だってば。……あぁ、もちろんこれは、あくまでプロジェクトの一環としての活動なんだけど、だけど安心していいよ。なんにも悪いことはないからさ。ね？」

どこまでも嘘臭い話だった。

が——

「とにかく、これで契約完了！　契約を破ったら、罰金百万円だからね」

岬ちゃんは契約書をポケットにしまうと、ニッコリ微笑んだ。ここに至って、俺はようやく不安になってきた。自分がものすごい間違いを犯してしまったような気がした。

この契約書。どこまで法的な強制力が働くのだろう？

大学の頃の、法学部の友人にでも尋ねておけばよかった。

ちなみに契約書の文面は、こうである。


ひきこもり脱出と、そのサポートに関する契約書

ひきこもり者名　佐藤達広
脱出サポート者名　中原岬

ひきこもり者を甲とし、脱出サポート者を乙として、両者の間に次のとおり契約する。

1．甲はそのひきこもり脱出に関し、乙に苦悩、葛藤《かっとう》、泣き言、弱音、その他いっさいの内心をうち明ける。
2．甲のひきこもりに関して、乙はその脱出のために尽力し、社会復帰（以下「丙」）を成功させるよう努める。また、丙への過程において、乙は甲の精神状態の保全をはかる。
3．そのかわり、甲は乙に対して、丁寧な口を利く。
4．甲は乙の言うことを、何でも素直に聞く。
5．あと、甲は乙を、うるさがったりしない。乙を、邪険に扱ったりしない。
6．当然、殴る蹴《け》るの暴行を加えたりもしない。
7．カウンセリングは、毎晩、三田四丁目公園で行われる。夕ご飯を食べた後に来ること。
8．そうすれば、たぶん、良い方向に行くと思う。

9．約束を破ったら、罰金百万円。

文面を思い返してみると、激しい不安に襲われた。

「やっぱりやめた！　契約書返せ！」

しかし岬ちゃんは、とっくの昔に公園の外へと歩き去っていた。

取り残された俺は、ひとり途方に暮れていた。

七章　回転する岩石

1

いつのまにやら社会的精神的に追いつめられていた——そんな感じの夏だった。

いつのまにやら脱出不可能な檻《おり》の中に閉じこめられていた——そんな感じの七月だった。

「ヘルプミー！」と救済を求めてみる。しかし、愛も夢も希望も、努力も友情も勝利も、決して俺たちを救ってはくれなかった。困ったものである。

たとえば山崎は叫んでいた。

「おおおお！　ふざけてるんじゃないぜよなぁ！」

彼には大志があったのだが。彼は小さい頃から考えていたものだが。

『こんな腐れたクソ田舎から抜け出して、都会で一旗揚げてやる』

『ぎぎぎ偽善者どもめ！　いつか見てろよ見返してやるからな！』

『僕には才能があるのさ！　どんな才能かは知らないが、ともかく僕には才能があるのさ！』

だけども彼は、自らの才能の有無を確かめる前に、もうすぐ田舎に帰らねばならなくなった。くだらないしがらみと、イラつく笑顔と、田舎ヤンキーと、地元政治家が作り上げた無駄に広い国道と、一軒だけのコンビニの——嫌な感じのクソ田舎に、彼はUターンせねばならなくなった。ご愁傷様である。

そうして俺も、みごと雄々しく叫んでいた。

「うあああ！　もうダメだもうダメだもうダメだ！」

自分にも何がダメなのかよくわからないが、とにかくダメなことは確かだった。あまりにダメな要因が多すぎて、解決の糸口がまったく見えないのだ。

たとえば先日、とうとう実家からの仕送りが止まった。それなのに、なぜか働く気力が湧いてこない。ここまで追いつめられていながらも、外に出られない。『高レベルひきこもり人間』という俺の肩書きは、伊達《だて》ではないのだった。

しかし——せめて生活費だけでも早急に工面しなければ、明日にでもアパートを追い出されてしまう。なんとかせねば。

そこで俺は、学生の頃に作ったカードで、ちょっと大胆に借金してみた。ついでに家具も売った。近所のリサイクルショップに、洗濯機と冷蔵庫とテレビとパソコンとコタツとベッドを持ち込んで、蔵書なんかも、ぜんぶ古本屋に売り払ってみた。すると、当面の生活費が工面できた。執行猶予がついた。

そうして俺たちは、暇になった。

この暇をどうやってすごすか、それが当面の問題だった。

「どうしよう？　なんにもやることがないなぁ」俺は山崎に相談した。

山崎も途方に暮れているようだった。アパートの床に俯《うつぶ》せになって、力無く呟《つぶや》いていた。

「時間は結構あるんですけど、なんとなく落ち着きませんよねぇ。……現実逃避するにしても、できることならば、スカッと爽《さわ》やかに逃避したいものですねぇ」

現実逃避――その言葉に触発された俺は、良いことを思いついた。

「逃避と言えば、刹那《せつな》的な若者のすることだよな」

「……はぁ」

「で、刹那的と言えば、ロックだよな」

「……！」

俺は山崎の肩をガクガクと揺さぶった。

「そうだよ、ロックンロールだよ！　セックス・ドラッグ・バイオレンスだよ！」

山崎も立ち上がり、拳《こぶし》を振り上げ、大きく吼《ほ》えた。

「なるほど！　それは最高ですね！　……ところでロックンロールと言えば、実は僕、ジェリー・リー・ルイスを尊敬してるんです」

「誰それ？」

「周囲の反対を押し切って十三歳のいとこと結婚した、五十年代のロリコンロックンローラー、いわばロリコン界の巨人です。その生き様、まさに反体制！　火の玉ロック！」

「………………」

ともかく、これからのトレンドは「セックス・ドラッグ・バイオレンス」に決定した。そのような方向性で生きていくことで、多少は元気で朗らかな若者らしい毎日が過ごせるのではないか——そんな虫のいい希望があった。

・セックス
セックスと言えば18禁だ。

18禁と言えばエロゲーだ！

「………………」

いまだ山崎はエロゲー製作を続けていた。——なんのために？　それは誰にもわからない。だが、とにかく悲しい。もの悲しい。それだけは確かだ。なぜだか知らないが、泣きたくなった。

・ドラッグ

俺は家具を売って工面した金を使って、悪いドラッグを購入した。

「だけどこれ、ぜんぶ合法モノじゃないですか！」山崎が文句を言った。俺はうなだれた。

「……しょうがないだろう。通販で非合法薬物なんて買えるわけがない。ひきこもりには、これが精一杯なんだよ」

「惨めな話ですよね。なんかすごくかっこわるいですよね」

・バイオレンス
そして最後に俺と山崎は、六畳一間で格闘することにした。家具の無くなった部屋の真ん中で向かい合い、ファイティングポーズを取ってみた。

俺はこの前テレビで見たブルース・リーのまねをした。山崎は、格闘ゲームを参考にして、鶴の構えをとっていた。

そうして俺達は、殴り合おうとした。すると、フローリングの床に滑って転んだ。後頭部を思いっきり床に打ち付けた。涙が出てきた。

「ぜんぜん楽しくないですね」

「そんなこと言うなよ」

「余計に虚《むな》しくなりますね。――そうだ、公園でやりましょうか？」

「……まずはそれよりも、せっかくだからクスリを使おう。合法だからってバカにすんなよ。結構キクぞ。楽しくなるぞ」

事実、クスリは効いた。酷いバッドトリップで死ぬかと思った。

死のうかなと思った。

2

しかし俺は死ななかった。

かなりの最悪ひきこもり生活を送る俺であったが、それでも一応、人と会う約束というものも、存在するには存在したのだ。

アパートの外に人の気配が無くなった頃、遅い晩飯を腹におさめて良いあんばいになった頃——つまりは夜。

夜になったら、俺は向かう。近所の公園に、俺は、向かう。

初夏の夜風が心地良い。

ベンチに座って見上げれば、空には月、そして星。

その俺の目の前を、悠々と横切っていく黒猫。街灯を反射してキラリと光る、彼の瞳《ひとみ》、その輝き。

——あぁ、夜だ。

まさしく今は、夜だった。夜の公園には、岬ちゃんがいるのだった。

「遅いよ」

ギコギコとブランコを揺らしていた彼女は、俺に気がつくと、大きく勢いをつけて飛び降りた。その足元に黒猫が忍び寄る。岬ちゃんは猫を抱き上げた。猫は「にゃん」と鳴いたが逃げなかった。

「良い子だ。今、缶詰あげるからね」

岬ちゃんは背中の鞄《かばん》からキャットフードを取り出した。毎晩こうやって、餌付《えづ》けしているらしい。

「猫は良いよね」岬ちゃんが言った。

「何が？」

「猫は平気そうだもんね、いつでもどこでも、ひとりでも」

そのセリフの意味はイマイチよくわからなかったが、俺は適当なことを言ってやった。

「猫って結構恩知らずだぜ」

「知ってるよ」

「すぐに岬ちゃんのことなんて忘れちゃうぜ。キャットフードの投資なんて無駄無駄」

「こうやって、猫が欲しがってるものをあげてるうちは、きっと大丈夫。あたしのことを覚えててくれるよ。邪険にしないよ。毎晩公園に来てくれるよ。ね？」

ガツガツとキャットフードを喰《く》らう猫の背中を、彼女は優しく撫《な》でていた。猫は食事を終えると、とことこと茂みの中に歩き去っていった。俺たちはベンチに腰を下ろした。岬ちゃんは、鞄の中から『秘密ノート』を取り出した。

そうして今夜も、ひきこもり脱出のためのカウンセリングが始まるのだった。

＊

岬ちゃんが言うところのカウンセリング。

その初日からして、彼女の言動は充分におかしかった。まったく、なにかのギャグかと思った。だけど彼女は本気のようだった。

「遅いよ。夕ご飯食べたら来るようにって、契約書に書いてあったでしょうが」

「俺はさっき食ったばっかりなんだけど――」

「あたしの家は、七時に夕食なの」

んなこと知るかぁ！　と叫びたかったが、俺はぐっと堪《こら》えた。

「まぁ、明日からはもう少し早く来てよ。……とにかくそれじゃあ、これからひきこもり脱出カウンセリング、その第一回目を始めるからね。はい、ここに座って」

俺は言われたとおりに、ベンチに腰を下ろした。岬ちゃんも正面のベンチに座って、俺に向かい合った。

夜の公園、誰もいない。

——これから一体、何が始まるのか？　この小娘は何を始めるつもりなのか？

ちょっとドキドキしてきた。

と、何やら岬ちゃんは、背中に背負った巨大な鞄を下ろし、その中をごそごそとあさり始めた。

そして「……あ、あったあった」などと呟《つぶや》き、一冊の大学ノートを取り出した。その表紙には、黒いサインペンで『秘密ノート』と書き込まれていた。

俺は訊《き》いた。

「何それ？」

「秘密ノート」

「……だから、何それ？」

「……秘密ノート」

「………………」

岬ちゃんは秘密ノートを開いて、付箋《ふせん》紙が貼り込んであるページをめくった。

「はい、それではこれから講義を始めます」

街灯の逆光で、彼女の顔は窺えない。しかしその声色は、ずいぶんとマジメだ。ワケがわからないままに、俺はごくりと喉《のど》を鳴らす。

岬ちゃんは講義を始めた。

「えーと。まずはひきこもり概論から。――ささささて、ひきこもりの原因、それは一体、何なのでしょう。佐藤君にはわかりますか？　え？　わからない。そうでしょうそうでしょう。大学を中退しちゃった佐藤君の頭では、こんな難しい問題、きっとわからないことでしょう。ですが、あたしにはわかります。あたし、頭が良いから。今も大検の勉強中だよ。毎日五時間の勉強。偉いでしょう。ははは――」

ははは――と笑いながら、彼女は先を続けた。

「あたしの研究成果によると、ひきこもりに限らず、すべての精神的問題は、身のまわりの環境との不適合によって引き起こされます。ようするに、この世の中と上手にやっていくことができないから、いろいろ苦しいことが起こるんです」

そこで岬ちゃんは次のページをめくった。

「古来あたしたち人類は、世の中とうまく折り合いを付けていく方法を、いろいろ頑張って考えてきました。たとえばそれは神様です。いろいろな神様がいます。日本だけでも、八百万人。――え？　八百万？　それってちょっと多すぎるよね？　これホント？」

「…………」

「……ま、まぁとにかく、世の中には沢山の神様がいて、そのおかげで、苦しみから救われる人も、結構沢山いるみたいです。会館とかにね。……だけど、神様に救ってもらえない人は、他のことを考えるんです。たとえば哲学とか」

岬ちゃんは再び鞄の中をあさり始めた。顔を突っ込むようにして、巨大な鞄の中を調べている。そして――ようやく捜し物を見つけたらしい。

「あ、あったあった。はいコレ」

何かの本を取りだして、俺に手渡した。その本のタイトルは、『ゾフィーの世界』。

「なんだか難しくてよくわからなかったけど、哲学関係は、その一冊でバッチリわかるらしいよ。図書館から借りてきた本だから、明日までに読んでおいてね」

本を受け取ったまま、どうしたものかと途方に暮れていると、岬ちゃんの話はさらにどんどん先に進んで行った。

「えー、さて。哲学の次は、精神分析！　フロイトさんって人が考え出して、十九世紀ぐらいから流行したらしいよ。精神分析を受けると、すごく悩みが消えたりするそうです。……たとえば今日の夢、覚えてる？　これから分析してあげるので、佐藤君が見た夢の内容を教えてください」

俺は言ってやった。

「すごく巨大で逞《たくま》しい蛇が出てきた。その蛇が、海に潜った。あと、リンゴとかに太い剣を突き刺した。それと、黒光りする立派な拳銃《けんじゆう》を撃ちまくった」

するとまたまた岬ちゃんは、巨大な鞄から一冊の文庫本を取りだした。その本のタイトルは、『夢分析――この一冊で、あなたの深層心理が手に取るようにわかる!』。

「えーと、蛇、海、リンゴ、剣、拳銃……」

ぶつぶつと呟きながら、索引を検索している。――と、ふいに岬ちゃんは顔を赤くしてうつむいた。真っ暗な公園でも、なぜだかその様子が手に取るようにわかった。

「ふ、フロイトは終了!　次はユング!」岬ちゃんは大声で叫んだ。

「なぁ、夢分析の結果はどうなんだよ?　逞しい蛇は、一体何を象徴しているのか、それを岬ちゃんの口から聴かせてくれよ」

俺はねちっこくセクハラしてやった。

「ユング。この人は、フロイトさんとケンカして、別の方向に行ったらしいです。それでは、ユング流の精神分析開始!」

「なぁ、無視すんなよ。おい、ちょっと――」

「あたしが見たところ、佐藤君は、『内向』タイプの、『感情』タイプ!　グレートマザーに脅《おび》えています。あと、シャドーとかともケンカしています。大変ですね。詳しくは、この本を読んでください」

そうして岬ちゃんは、またもや鞄の中から本を取りだして俺に手渡した。その本のタイトルは、『マンガでわかる、ユングのすべて!』。

頭が痛くなってきた。しかし岬ちゃんの講義はまだまだ続いた。ユングからアードラーから、果てはラカンまで。「ラカンはわからん！」と言ってニッコリ微笑む彼女の素敵さに、俺はすっかり打ちのめされた。もう部屋に帰りたい。

そんな俺の様子を見かねたのか、岬ちゃんは大胆に方向転換した。

「あぁ、ごめんね、難しいことばっかり言っちゃって。やっぱり佐藤君には、こうゆう学術的な話は向いてなかったみたいです。……でも、大丈夫だよ。明日があるから」

「……はぁ？」

「人間だもの、苦しいよ」

「………」

「悩んでる君は可哀想。だけど、上を向いて歩こうよ。そのままの君でいいんだよ。夢があるから大丈夫。ひとりぼっちじゃないんだよ。歩いていけば、道はあるのさ。みんなが君を、応援してる。頑張ってる君、輝いてる。ポジティブシンキングで行けばいいのさ。明日に向かって一緒に歩こうよ。未来は素敵だよ。人間だもの、人間だもの、人間だもの……」

俺は岬ちゃんの鞄《かばん》をひったくると、逆さまにした。どさどさどさっと大量の書物が地面に雪崩落ちた。――PHS文庫、知的生活文庫。『早わかり精神分析』『完全精神病マニュアル』『人生に詰まった時に読む本』『マーフィーズゴーストの人生成功法則』『脳髄革命』『みつお』『みつる』エトセトラエトセトラ――

「なぁ岬ちゃん。あんた俺のこと、バカだと思ってる？」

岬ちゃんは、「そんなことないよ」という顔をして、ふるふると首を振った。

＊

ともかく、現在までの一週間にわたる岬ちゃんとの接触によって、彼女の一生懸命さだけは理解できた。

そう。彼女は実に頑張っていた。最初の数日間は、その努力が思いっきり空回りしていたが、ひきこもり問題を一生懸命に考察してくれる彼女の熱意、ただそれだけは、確かに本物らしかった。

……もちろん、彼女の真意がどこにあるのか、本当は何を企《たくら》んでいるのか、それはいまだにわからない。わからないが、まぁ、それは結局どうでもいい。

若い娘との交流によって、俺の腐れ果てた精神に少しでもエネルギーが充塡《じゅうてん》されてくれれば、それで万々歳なのである。いつかマズイ問題が持ち上がったとしても、もはや俺には失うものなど何もないのだ。それにどっちみち、どうせもうすぐお別れである。アパートから追い出されるか、それとも何か、別の方法でどっかに行くか——とにかくもうすぐ、俺は消える。そのときまでの、単なる暇つぶしなのである。

——と、そんな感じのナゲヤリなことを考えているので、親しくない女子とふたりっきりで会話を交わすという、ひきこもり人間にとっては最大級のプレッシャーになる現在のシチュエーションも、今の俺にはまったく苦にならない。

当然、いかに岬ちゃんが可愛くても、それでどうこうしてやろうという気も起こらない。『チカンに注意!』という看板が公園の入り口に設置されているが、これでも俺は紳士的なひきこもりだ。だから安心してくれ岬ちゃん。

「んん? なにさニヤニヤして」

「……いやいや、それよりも今日の特訓メニューは?」

いつものようにベンチに腰を下ろして俺に向かい合っている岬ちゃんは、やはりいつものように秘密ノートを覗《のぞ》き込んだ。

「えーと、今夜のメニューは、会話の仕方!」

「はぁ?」

「ひきこもり人間は一般的に言って、会話がヘタクソです。他人とお喋《しゃべ》りするのが苦手なために、余計に部屋に籠《こ》もります。今夜からは、その辺りを矯正しようと思います」

「ほう」

「そうゆうわけで、これからあたしが素晴らしい会話テクニックを伝授してあげます。よく聴いていてください」

岬ちゃんは秘密ノートにちらちらと目をやりながら講義を始めた。俺はよく聴いた。

「人と話すと緊張する。だから言葉に詰まって困ったり、青くなったり、舞い上がったりする。それでますます精神の安定が無くなって、どんどん会話がへたくそになっていく——そのような悪循環を断ち切るにはどうしたらよいのか？　答えは簡単です。緊張しないようにすれば良いんです。なら、緊張しないためにはどうするか？　なぜ人は、緊張するのか？　それはですねぇ、自分に自信がないからです。自分が相手にバカにされているのではないか、相手に見下されているのではないか、相手に嫌われているのではないか、そのようなことを考えてしまうからなのです」

だからどうした、と口を挟《さしはさ》みたいところではあるが、岬ちゃんの口調は真剣だった。

「つまり問題は、いかにして自分に自信を持つかという、その点に尽きます。ですが——自信を持つ。それは実際、ずいぶんと難しいことです。はっきりいって、普通のやり方では不可能です。だけどあたしは不可能を可能にする、すごく画期的な方法を考え出しました。その方法、知りたいですか？　知りたいでしょう？」

そう言って俺を見る。うなずくしかない。

すると岬ちゃんは、重々しく口を開いた。

「……いいですか、よく聴いてください。発想のコペルニクス的大転換なんです。つまり——自分に自信が持てないのなら、相手を自分よりもダメ人間にしてしまえばいい！　そうゆうことです！」

……まったくもって、意味がわからない。

「ですからね、会話の相手を、自分よりもさらに酷《ひど》いダメ人間だと想定するんです。人間のクズだと仮定して、思いっきり見下すんです。そうしたら、緊張することなく、落ち着いてスラスラと話せます。のんびりします。和みます。——ね？」

「………………」

「だけど、注意点があります。——内心で思ってることを、わざわざ相手の人に教えちゃダメですよ。怒られるから。……佐藤君だって、面と向かってクズとか最悪とか人間失格とか言われたら、きっとすごく落ち込んじゃうでしょう？　だからあたしは黙ってます」

これは……と俺は考えた。

これはもしかして、ものすごく遠回しな、俺に対する悪口なのか？

それにしては、岬ちゃんの表情はずいぶんと無邪気だ。

俺は訊《き》いた。

「もしかして岬ちゃん、その『会話テクニック』、日常生活でも実践してる？」

「うん、してるよ。……でもねぇ、やっぱりなかなかうまくいかない。たいていの人はあたしよりも立派な人だから、会話の相手をダメ人間だと思いこもうとしても、普通は失敗する。だけどその点、佐藤君なんかが相手だと、すごく自然に——」

「すごく自然に？」

「……やっぱりいいや。言うと傷つくから」

とっくの昔に傷ついている。

「気にすること無いよ。佐藤君みたいな人でも、それはそれで人の役に立ってるんだから」

そうして岬ちゃんはベンチから立ち上がった。

「今日はコレでおしまい。また明日」

3

山崎はひとりでゲームを作っていた。俺が途中まで書き上げたシナリオを使って、ひとりシコシコとゲーム製作に励んでいた。先日購入した幻覚剤で脳味噌《のうみそ》に気合いを入れつつ、無言でひたすらパソコンに向かっているのだった。

これもまた現実逃避のひとつの形か。実に末期的である。

しかし――幻覚剤をキメながらのゲーム製作など、はたして本当に可能なものなのだろうか？

俺は山崎の背中越しに、パソコンのディスプレイを覗き込んだ。

「…………」

ディスプレイは、細かいフォントで書かれた大量の文章で、びっしりと埋め尽くされていた。『苦死不安最悪地獄毒奈落等、それらを操る巨大な組織、それが僕らの敵なのだ、そんな敵を倒してヒロインの愛をゲットするのだ、それがこのゲームの使命なのだ！　だけど敵は目に見えないぞ、どこにいるのかもわからないぞ、だから気をつけろ！　後ろから刺されるぞ、危険危険危険――』

「……なにこれ？」俺は訊いた。

山崎は椅子を回転させて、ゆらりと振り返った。

瞳孔《どうこう》が完全に開ききっていた。唇を限界まで引きつらせていた。見る者を恐怖させる、危険な笑みを浮かべていた。

「何って、見ればわかるでしょう？　これが僕のエロゲーですよ。このエロゲーは、いわばRPGで、主人公がプレイヤーです。プレイヤーはテキストファイルを読みながら、ゲームを進めていくんです。すると、色々と大切なことがわかるようになっていて、さらにヒロインも萌《も》え萌えなんです。ホウラ、すごいんですよ。ヒロインは猫耳をはやした宇宙人なんです。だけど、ヒロインは敵に拘束されています。敵というのは悪者です。目に見えない悪者です。その目に見えない悪者を目に見えるようにする、そこにこのゲームの真意があります。そこに人生の真理が存在します。――ねぇ？　わかりますか？　ようするに僕は、この世の真理を悟ったんです。その悟りを、皆に広める使命があると知ったんです。そうしてこのエロゲーは、新世紀の聖書となるんです。百万本売れるんです。金持ちになるんです。

だから——あぁ、楽しいなぁ。……ねぇ、佐藤さんも楽しいでしょう？」

俺は恐怖におののき、一歩あとずさった。すると山崎は「ひひ」と金属的な笑い声をあげた。その自らの声に触発されたのか、彼の笑いは、まもなく爆笑にまで高まった。

「……ふふふ、あははは、ひひひひ！　あぁおかしい！」

山崎は椅子から派手に転げ落ちると、四つん這《ば》いになって、全身をがくがくと震わせながら俺に近づいてきた。その様子はゾンビ映画を想起させた。俺は軽い恐慌をきたして、立ちすくんでしまった。その俺の足首を強い力で捕まえると、山崎は叫んだ。

「おかしくっておかしくって、しかたがないなぁ！」

俺は怖くて怖くてしかたがなかった。

「虚《むな》しくて虚しくてやってられないなぁ！」

その点については同感だったが、クスリではじけた山崎は、とにもかくにも大迫力に恐ろしかった。俺は一刻も早く彼が正気を取り戻してくれるよう祈った。しかし彼は、いつまでたっても元に戻らなかった。振り切れた笑顔を浮かべ、ひとりでくすくすと笑っていた。

「…………」

しょうがないので、俺も仲間入りすることにした。

白いクスリを鼻腔《びこう》粘膜から吸収。

すぐに効き目は現れた。

「……あぁ、楽しいなぁ」

「面白いですよね」「すごく愉快だなぁ」「最高ですよね」「……だけど、あぁ、もうダメだ」「おしまいですか？」「辛《つら》いなぁ」「惨めですよね」「どうすればいいんだろう？」「どうしようもないですよ」「苦しいなぁ――」

またもやバッドトリップだった。

幻覚剤の効果は、本人の心理状態と周囲の環境――いわゆるセットとセッティングによって左右される。楽しい気分でクスリを使えば天国行き、落ち込んでいるときにクスリを使えば地獄に直行。だから現実逃避目的で幻覚剤を使うとロクな事にならない。それはわかっている。わかっているのだが――

薬の作用でグルグルと回転する視界の中に、凄《すご》くドラマティックな恐怖が存在した。その恐怖は、常日頃感じている曖昧《あいまい》な不安とは違い、ほとんど目に見えるほどの、すっきりハッキリした、極めて分かりやすい不安だった。

強大で、だけども目に見える、わかりやすい恐怖、不安。それはむしろ望むところだった。ジワジワと真綿で首を絞め付けられるような日常の不安に比べれば、クスリによる抑《よく》鬱《うつ》は、むしろ極めて愉快で最高なのだった。

山崎は冷蔵庫に向かって、拳《こぶし》を振り上げていた。

「くそっ、来るなら来い！　迎え撃ってやるぞ！」どうやらその辺りに、仮想上の敵が存在しているらしい。

一方俺は、部屋の隅で体育座りをし、頭を抱えて震えていた。

「やめろ！　来るな！」敵はすぐそこにまで迫っていた。その恐怖に脅えつつも、俺はどこかで楽しんでいた。悪者に追いつめられ、悪者に殺される。そのビジョンは、とても心躍るものだった。とてもウキウキするものだった。

「…………」

ウキウキする――それはつまり、愉快だということだ。

愉快ならば、楽しいということだ。

――そう。

ようするに俺たちはハッピーなのだ。だからこそ最高なのだ！

いまこそ俺はロックンロールな生き様を理解した。その生き様をさらにパーフェクトなものとするために、俺は決心した。

「ドラッグの次はバイオレンス！」

クスリの効果も醒《さ》めやらぬうちに、俺たちはアパートから飛び出して公園に向かった。格闘するのだ。この前のバイオレンスの続きを、今夜こそ広い公園で繰り広げてやるのだ。なぜならば、俺たちは刹那《せつな》的な若者なのだ。だからケンカするのだ。ドラマティックに、華々しく、K―1なみの熱いファイトを繰り広げてやるのだ。そうしたならば、きっと俺たちはもっと愉快になるのだ――

とっくの昔に日は暮れていて、周囲に人影はない。いたら困る。恥ずかしいからな。公園の街灯の下で、俺たちは向かい合った。俺はジャージとTシャツ、山崎はトレーナー。どちらも動きやすい格好をしている。準備は万全だ。

クスリが効いているので、山崎の口は滑らかだった。べらべらと意味不明なことを話してくれた。

「よくありますよね。若くて格好いい俳優ふたりが、青春とか恋愛とかを議論しつつ、雨に濡《ぬ》れた公園とかで殴り合ったりするドラマ。『お前には本当の愛がわからないんだ!』『なんの、俺はヒトミを心から愛している!』『ドカッ!』『バキッ!』って感じの――」

俺は屈伸運動しつつ、続きを促した。

「僕はねぇ。あーゆー感じのドラマに心底憧《あこが》れているんです。テレビドラマの中には、真実がありますからね。起承転結があり、感情の爆発があり、結論がありますからね。……なのに一方、僕らの生活は、いつまでもいつまでも、薄らぼんやりな不安に満たされ

わかりやすい対決とか、わかりやすい事件とか、わかりやすいドラマとか、わかりやすいドラマとか、わかりやすいドラマとか、ていうのを期待しているだけで、わかりやすいドラマとか、わかりやすい事件とか、わかりやすい対決とか、

ているだけで、わかりやすいドラマとか、わかりやすい事件とか、わかりやすい対決とか、そーゆーものが一切ありません。――それはねぇ、ちょっと不条理な話でしょう？　僕は二十で佐藤さんは二十二です。それなのに、本気で人を好きになったり、本気で人を憎んだり、愛憎の果てに殴り合いをしてみたり、そーゆー経験が一切無いんですよ。ひどい話です――」

そこで山崎は、アキレス腱《けん》を伸ばしている俺の肩を激しく揺さぶった。

「だからこそ僕らもドラマティックな殴り合いをしてみましょう！　格好良く、軽快に、荒々しく！　そーゆーコンセプトでレッツファイトです！」

「おう！」俺も勇ましく応《こた》え、ファイティングポーズをとった。

そうして俺たちは、ぽかんぽかんと殴り合いを始めた。しかしファイトは、どこまでも牧歌的だった。痛いことは痛いのだが、クスリに酔っぱらった貧弱男のパンチなど、その威力はたかが知れている。

山崎は必死でファイトを盛り上げようとしてか、ドラマティックな（だけどひたすら抽象的な）セリフを叫んだ。

「佐藤さん、あんたは何もわかっちゃいない！」

彼の努力を無駄にしてはいけない。俺も適当なセリフを怒鳴る。

「間違っているのはお前の方だ！」

「いったい僕のどこが間違っているって言うんですか！」

「…………」

急にそのような具体的なことを訊《き》かれても困る。俺は振り上げた拳を止めて、しばし考え込んでしまった。

「……たとえば夜アニに進学したこととか？」おずおずと答える。

すると山崎は、いきなり蹴《け》りを放ってきた。

「夜アニを馬鹿にするな！」

「痛ってぇ、いきなり本気で蹴るか、この――」

「ひきこもりのくせに、でかい口叩《たた》かないでくださいよなぁ！」

かっと頭に血が上った。

「ロリコンは死ね！　エロゲーオタクは死ね！」俺は思いっきり右拳を振り上げ、山崎の腹部に叩きつけた。山崎はうめき、うめきつつもタックルしてきた。俺たちはもつれあいながら地面に転んだ。

頭の上に、月を背負った山崎がいた。このままではタコ殴りにされてしまう。

俺は山崎の首に足を引っかけて、馬乗りになられた状態から、なんとか脱出した。

ふたりとも肩で息をしている。

山崎は俺を睨《にら》み、それから目をそらし、うつむいてくすくすと笑い――最後に大きなため息を吐いた。

「……あー、面白い」と言った。

「だけどまだまだこれからです。死ぬまでファイトを続けましょう」と言った。

だから俺たちはファイトを続けた。ふらふらと蹴り、よろよろと殴る。虚弱な男たちが繰り広げる熱いバトルだ。

痛い。痛くて痛い。だけど楽しい。楽しくて虚《むな》しい。

鳩尾《みぞおち》に拳がめり込み、胃液がせり上がり、涙が溢《あふ》れて、ハッピーだ。股間《こかん》を蹴られて、ぴょんぴょんと飛び跳ねる山崎の姿は、かなりクールだ。あぁ、いったい俺たちは何をやっているんだろう――そんな疑問を拳に乗せて、殴り、殴られ、今はもう七月。

もうすぐなのだった。もうすぐ何かが変わるだろう。俺はそろそろ決心するだろう。そのとき俺は笑っているだろう。ニコニコと楽しげな笑顔を浮かべているだろう。なぁそう思うだろう山崎君――

「………」

しかし俺たちはもう、傷だらけ痣《あざ》だらけだった。全身が激しく痛んだ。どこもかしこも痛かった。

前歯がひとつ、ぐらぐらする。山崎の右目には見事な青痘《あおたん》、俺の右拳は破れて出血。ちょっとした一大ファイトを繰り広げてしまった俺たちであった。

それでも俺は、山崎の顔面にもう一発パンチを叩き込もうとした。すると、腕を取られて、逆にゴロンと転がされた。さらにそのまま山崎は、俺の関節をキメてきた。腕ひしぎだ。

「痛い痛い折れる折れる！」

俺は地面をタップした。

「折りますよ折りますよポキッと折りますよ」

俺は山崎のふくらはぎに思いっきり嚙《か》みついてやった。山崎はギャーと叫んだ。

「反則じゃないですか！」

「うるさいよ、いいから夜アニは死ね！」

「だからそうゆうこと言われるとマジでムカつく――」

そうして俺たちの馬鹿らしいファイトは、ますます空虚にエキサイトしていくかに思われた。

だが、そのときだった。

「おまわりさーん！」

「……ん？」

「こっちですおまわりさん！」

それは若い女性の甲高い叫び声だった。

山崎はガバッと跳ね起きると、一目散にアパートへ駆けだしていった。

俺を置き去りにして、ひとりで逃げだしやがった。

＊

数分後、俺は岬ちゃんにポカポカ叩かれていた。それはいわゆる女の子叩きだったが、
俺の体は山崎との格闘によって、だいぶボロボロになっている。かなり骨に響く。

「——！」

声にならないわめき声をあげて、岬ちゃんは俺を叩く。

ともかく俺は頭を下げた。

岬ちゃんはさらに数十発俺を叩くと、ようやく落ち着いてくれた。

——ようするに。

『おまわりさーん！』という叫び声、それはつまり、岬ちゃんの芝居だったらしい。

夕ご飯を食べたあと、いつもと同じようにこの公園を訪れた岬ちゃんは、何事かを大声でわめきながら殴り合う、二人の怪しい男を見たのである。

当然の事ながら、岬ちゃんは動転した。

——助けなきゃ！　しかし辺りに人はいない。携帯電話も持ってない。あぁ、どうしよう！　そうだ芝居だ！　おまわりさんがすぐ近くにいるという芝居を打って、佐藤君を助

けよう！

　などと、勇気を出して決心してくれたそうだ。

「……ホントにもう……どうしようかと……殺されるんじゃないかって」

　ちょっと涙目でそんなことを言う岬ちゃんに、俺はずいぶんと申し訳ない気持ちを味わった。そこでとりあえず、面白い話をして笑わせてやることにした。

「いや実は、あの植え込みの陰で女の子がチカンに襲われててさ。それに気づいた俺は、その女の子を助けようとして現場に飛び込んだんだけど、だけどその暴行犯、いきなり逆ギレしてさ。懐からナイフまで取り出して、俺に飛びかかってきて――いやいや、かなり危ないところだったよ。俺じゃなかったら殺されてたよ」

「……それ、大嘘でしょ」

「うん」

「ホントは何してたの？」

　俺は正直に全てを教えてやった。

　岬ちゃんは盛大に吹き出したあと、それからなぜだか、またまた辛《つら》そうな顔をした。

　こてんとベンチに座り込み、呟《つぶや》く。

「ダメだよ。友達とケンカとかしちゃあ。……冗談でも、暴力はダメだよ。絶対に」

「……なんだよ。そんな真面目なコメントしなくて良いよ。結構楽しかったぜ、人をぶん殴るのも殴られるのも初めてだったから、意外にスッキリ気分爽快《そうかい》——」

「だからダメだってば！」

「なんでさ？　空手は健康にいいんだぜ」

俺は岬ちゃんの目のまえで、シャドーボクシングのモノマネをしてみた。

右フックを打とうと構えた瞬間、岬ちゃんはビクッと体を震わせて、両手で自分の頭を包むようにした。

「……ん？」

腕の隙間から、上目づかいに俺の様子を窺《うかが》っている。

「なにそれ？」

「……」

岬ちゃんは、恐る恐るといった様子で、その腕を下ろした。

俺はもう一度、右フックの構えを取ってみた。するとまたまた岬ちゃんは、両手で頭をガードした。

その仕草が面白かったので、俺は何度か、パンチの構えを繰り返してみた。

「………」

だが——しまいに岬ちゃんは、ベンチの上でぎゅっと体を小さくして、頭を両手で包んだ姿勢で固まってしまった。

そうしてそのとき、岬ちゃんの洋服の袖口《そでぐち》が、肘《ひじ》の辺りまでずり上がった。

何気なく、俺は見た。

青白い街灯に照らされた岬ちゃんの腕には、火傷《やけど》の疵痕《きずあと》らしいものが、いくつもいくつも点在していた。直径五ミリぐらいの、円形の疵痕だ。田舎の不良とかがよくやる、いわゆるひとつの根性焼きに、それはまったく酷似していた。

俺の視線に気がついたのか、岬ちゃんは慌てた様子で袖を下ろした。

震える声で「……見た？」と言った。

「何を？」俺は知らないフリをした。

そう言えば、いつも岬ちゃんは長袖を着ている。もうずいぶん暑い日が続くのに、それでもいつも、長袖だ。……だからどうした。

明るい声で言ってやる。

「今日のカウンセリングは？」

しかし岬ちゃんは答えなかった。

体を小さく縮めたまま、ベンチの上で、カタカタカタカタカタ小刻みに震えていた。ついでに歯まで、カチカチカチカチ鳴らしていた。

結構な時間が流れた。

ようやく体の硬直を解いた岬ちゃんは、「帰る」と言った。

よたよたとおぼつかない足取りで、公園の出口へと歩いていく。俺はその後ろ姿を、ぼんやり見送った。

声をかけるべきかと迷っていると――岬ちゃんはブランコの前で立ち止まり、くるりと振り返った。

「……やっぱり、イヤになった？」

そう訊《き》いてきた。

「はぁ？」

「きっと明日からは、もう、来ないよね」

妙に自己完結的なセリフを喋《しゃべ》る女であった。

「………………」

俺たちは五メートルほどの距離を取って向かい合っていた。

岬ちゃんは、俺の目を見て、それからすぐに視線をそらし、その後再びチラリとこちらを盗み見た。

「……明日も、来てくれる？」

「だって、約束破ったら罰金百万円なんだろ」

「う、うん。……そうだったよね！」

ようやく岬ちゃんは小さく微笑んだ。

俺もアパートに帰った。体中にサロンパスを貼って、それから寝た。

八章　潜入

1

おそらく脳味噌《のうみそ》のホルモンバランスなどが関係しているのだろう。寄せては返す波のように、躁《そう》と鬱《うつ》が交互にやってくる。そんな毎日だった。

元気になったと思っても、その翌日になると、死にたくて死にたくて仕方がない。

クスリのパワーで無理矢理テンションを上げてみても、時間が経てば、やっぱりあぁ、もうダメだ！　過去の恥、未来への不安、その他もろもろの恐怖が一斉に襲いかかってくる。ハイテンションのリバウンドだけあって、それはひたすらに激しい鬱だ。

いまではもう充分に慣れてしまったはずの、岬ちゃんとのカウンセリングでさえ、なにやら今夜は恐ろしい。原因不明な不安が、俺をすっぽり包み込んでいた。その不安の原因が定かでないことが、ますます恐怖に拍車をかけるのだった。

まず、目に見えて現れる症状としては、視線がふらふらと四方八方を彷徨《さまよ》い始め、他人の目を見て話すことが不可能になる。

　あぁ、まるで俺は自意識過剰な中学生だ。恥ずかしい、心底そう思う。だが、その恥ずかしさの自覚によって、ますます俺の挙動は、どこまでも怪しく不審になっていく。悪循環である。

　とりあえず、タバコを吸って気を落ち着けることにする。震えがちな手でタバコを取りだし、百円ライターで火を点《つ》ける。だが、しまった、ガスが切れかかっている。なんてことだ、最悪だ。しかし、一度取り出してしまったライターとタバコを、そのまま為《な》すべもなくポケットに戻してしまうなどといった恥ずべき行動は、なんとしても回避するべきであった。だからこそ俺は、なんとか頑張って火を点ける。カチッ、カチッ、カチッ、カチッ、と数回点火を試みて、ようやく着火に成功、あぁ助かった。

　すかさず俺は岬ちゃんから目をそらし、むやみやたらに喫煙する。一本／五分のペースで、ただひたすらに喫煙する。肺が痛い。心臓も苦しい。タバコの先が、ぷるぷると細かく震えている。そして首筋には、じっとりと冷や汗が――

　と、あまりに挙動不審な俺の様子に気がついたのか、

「どうしたの？」と岬ちゃんが訊いた。

　今はカウンセリングの最中だ。俺たちは夜の公園で、ベンチに座って向き合っている。

　俺は何とか口を開いた。

「持病の癪《しやく》が！」

「シャクって何？」

……これだから困る。最近の娘はモノを知らない。もう少し勉強しろ！

そう叫んでやろうかと思ったが、やっぱりそれは不可能だった。数年間のひきこもり生活によって獲得した、嫌な感じのダメ人間アビリティ、すなわち広所不安、視線恐怖、その他もろもろの神経症が、かなりのパワーで迫っていた。

──あれ？　部屋の鍵《かぎ》、締めてきたっけ？　タバコの火とか、ちゃんと消してきたっけか？　というか岬ちゃん、そんなつぶらな瞳で俺を見るなよ！　かといって、沈黙するのはやめてくれ。無言で俺を見つめるのはやめてくれ！　ものすごく不安になるんだ。胃が、胃が痛いんだ。

だけど、あぁ──とにかく素早く、何か言わねば。

「……ところで岬ちゃん、お菓子とか、食う？」なんだそりゃあ！

「食わない」

「普通さぁ、君ぐらいの年頃の女子だと、二十四時間、常にお菓子食ってるよね。あたかも小動物のごとく、ぼりぼりぼりぼりと。……アレは一体、どうしてだろうね？　やっぱり若いから、代謝が速いのかね？　だからいつでもカロリーを補給してないと、たぶんコロリと死んでしまうんだろうね。きっと、そうゆうことかね？」

「…………」

死のうかな。

「…………」

死のうかな。

「――だけど俺は死なないぞ！　なぜならば、俺は元気な男だからだ！　この溢《あふ》れんばかりのエネルギー、最高だ！　実際、まだ二十二だぜ！　未来は広がっている！　あーたーらしーいーあーさが来た、きぼーおの――」

岬ちゃんは、俺の服の袖を指でつまんだ。

「……ん？」

「明後日《あさって》、街に出よう」

服の袖《そで》をくいくいとひっぱって、そう言った。

「駅前とかにさ。一緒にさ。――昔の偉い人が言いました。『本を捨てて街に行きなさい』とか、そんな感じのことを言いました。この前読んだ本に書いてあったから、嘘じゃないよ。――だからそろそろあたしたちも街に行きましょう。そうすると、きっと良い方向に向かうと思うよ。ね？」

「…………」

俺は思わずうなずいてしまった。

＊

だが岬ちゃんとの約束は、俺に新たな恐怖をもたらした。

いまだ正体のつかめない、謎の女子、そいつと一緒に昼間から街に出る——そんな行動は、俺に最高のプレッシャーをもたらすに違いなかった。プレッシャーに打ちのめされた俺は、きっとまたもや恥ずかしい行動をとってしまうに違いなかった。どこまでも情けない振る舞いをしてしまうに違いなかった。あぁイヤだ。ずっと部屋にひきこもっていたい。

だが——しかしそれでも約束は約束だ。他人との約束を忠実に守ってこそ、それで初めて立派な社会人となれる。

……というか、俺は社会人じゃなくて、ただのひきこもりだけどな。

とにかくひたすらキリキリキリと胃が痛んだ。切迫感、あたかもテスト前日のような、逃げ場のない焦燥感。俺のような弱々しい精神力の持ち主にとっては、それはそれはずっしりとした手応えのある、強力な圧迫感だ。

しかし、ドストエフスキーだかなんだかの小説にも書いてあるとおり、限度を超えた苦痛の中には、否定できない快感も、確かに共に、存在している。ようするに、ストレスがある程度の閾値《いきち》を超えると、なぜだか人間、頭がハイになるのだ。あまりにも追いつめられると、逆にむやみにノリが良くなるのだ。テンションが上昇するのだ。だから楽しいのだ。

「そうだろう山崎君？」

「ええそうですね。なんのことだか全然わかりませんが」

今日も朝から山崎はガリガリガリガリとゲームを創作していた。その鬼気迫る後ろ姿は、なんだか実に楽しそうに見える。

「ちょっと途中経過を見せてくれ」と頼んでみたが、彼はディスプレイを体で隠した。どうやら、よっぽどエロいゲームを作っているところらしい。

まぁ、山崎の作っている電波系エロゲーなど、いまとなってはどうでもいい。だからともかく、そろそろ朝飯を食おう。

俺は冷蔵庫を開けた。

「……ん？　なんだ山崎君、もう食料が無いぞ」

「あんた、人の部屋で毎日毎日、我が物顔で飯を食うなよなぁ！」

「んなこと言ったって、俺の部屋の冷蔵庫、この前リサイクルショップに売っちゃったから——」

俺は適当に弁解しつつ、押入れの中に常備されているはずのヤクルトラーメンを取り出そうとした。

そのとき、ふいに玄関の呼び鈴が鳴った。

来客か？

山崎はのっそりとパソコンデスクから立ち上がると、玄関のドアを開けた。

「………」

そこにいたのは宗教勧誘員だった。

しかし今日の勧誘員は、岬ちゃんとオバサンのペアではなく、スーツを着込んだ二十歳ぐらいの青年と、紺色ブレザーを着た中学生ぐらいの少年だった。

配置が換わったのだろうか？

まぁどっちにしろ、勧誘員のすることは毎度変わらずいつもと同じだ。

「あのう、私ども、このような雑誌をお配りしているのですが」

二冊の冊子を山崎に手渡す勧誘員。

「あー、うち、ヒンドゥー教なんで……」

適当な事を言って、勧誘員を追っ払おうとする山崎。

そんな彼らの様子を室内から眺めていた俺は、ふと素晴らしいアイデアを思いついた。

玄関へと向かい、山崎の背中を思いっきりどやしつけ、言う。

「馬鹿なことを山崎君！　君、この前からずっと、聖書に興味があるって言ってたじゃないか」

「……は？」

『何を言ってるんだこの阿呆《あほう》は？』という表情でこちらを振り返った山崎に構わず、俺は勧誘員に向かって一息にまくし立てた。

「実は俺たち、前々からあなた方の活動に興味があったんです。よろしければ集会を見学させていただけませんか――」

2

昨夜、岬ちゃんが別れ際にぽつりと呟《つぶや》いたのだ。

『明日、宣教学校の発表、あたしの番なんだよね。いやだなぁ』

『なにそれ？』と訊《き》くと、岬ちゃんは訥々《とつとつ》と教えてくれた。

――『宣教学校』とは、『研究生』が『奉仕活動』の技術を磨くための集会。明日、その集会で、自分の話を皆の前で発表しなければならなくなった、等々。

宗教的テクニカルタームが多すぎて、部外者の俺にはイマイチ意味がわからなかった。もっと詳しく話を聞こうとしたら、岬ちゃんはベンチから素早く立ち上がって、帰宅した。

『とにかく、明日は用事があるので、街に出るのは明後日ね。……約束、忘れないように』それだけを言い残して。

――ようするにだ。

今日、岬ちゃんの属する宗教団体の集会があるらしい。その集会で、なにやら岬ちゃんが大変な役を演じるらしい。

そのような情報を総合した結果、俺はピンとひらめいたのだった。まさしく今日こそ、岬ちゃんの正体を突き止める最高のチャンスだと。

そうして俺は、かなりの勇気を出して勧誘員にお願いした。

「見学に連れて行ってください！」

通常、見学者は、毎週水曜日の『書籍研究』に連れて行く決まりになっているそうで、二人の勧誘員は「ぜひとも今日！　今日の集会に連れて行って！」と懇願する俺の扱いを、どうしたものかと決めかねているようだった。

が、数分間にわたる懇願の末、ついに彼らは折れてくれた。『帝国会館』の場所と、集会が始まる時間を教えてくれた。

「夕方の六時から始まります。『金田の紹介で来た』と言えば、通してもらえますから――」

＊

夕方だった。

あやしげな衣装で見事に変装した俺たちは、『帝国会館』への道を早足で歩いていた。

岬ちゃんのプライベートを陰から観察して、彼女の正体を見破ってやるのが、集会潜入の目的である。なればこその変装であった。最初は渋っていた山崎も『宗教団体への潜入なんて、一生に一度のチャンスだぜ！　面白そうじゃん！』などと言う、あまりに適当な俺の説得に屈して、しまいには自ら嬉々《きき》として変装を始めてくれた。

俺は、大学入学の際に購入したリクルートっぽい黒のスーツを着て、頭にピンクのチューリップハットを目深く被《かぶ》り、ついでに顔には濃い紫のサングラスをかけた。自分でも無茶苦茶な格好をしていると思う。

一方山崎は、シークレットシューズで身長を十センチほど伸ばし、目には緑のカラーコンタクトをはめ、さらには頭髪をブリーチで金色に染めた。どうして彼が、シークレットシューズなどというバカげたアイテムを所持していたのか、それについてはよくわからない。

ともかく、完璧《かんぺき》な変装である。

が——それでもいまだ、多少なりとも不安が残っている。俺たちの声色によって、正体が露見してしまう恐れがある。

「どうしたものだろう山崎君？　さすがに声までは変えられな——」

と、そこまで不安を口に出したところで、山崎は駅前のデパートに俺を連れ込んだ。

そうして彼が向かったのは、四階の玩具屋《おもちゃや》。そこのパーティーグッズ売り場で、彼が手にしたものはヘリウムガス。肺に吸い込むと、声がアヒルの鳴き声みたいに変わってしまう、一昔前に流行《はや》ったアレだ。

「おお！　頭いいね君！」

俺は山崎の背をばしんと叩《たた》いた。

彼は無言で親指を立て、ニヤリと笑った。ノリノリである。

そんなこんなで、準備は全て整った。俺たちは意気揚々と、駅前商店街のはずれにある帝国会館に向かった。

甲高いアヒル声できぃきぃと話す、どこまでもあやしげな二人組に、すれ違う人が怪訝《けげん》そうな視線を投げかける。通常の俺ならば、彼らの視線に脅《おび》えきってしまうところだろうが、今日に限っては、他人の目などを恐れはしない。濃い色のサングラスによって視線が遮られているし、隣を歩いているのは心強い友、山崎だ。そしてなにより、通販で買った「気合いの入るクスリ」が、最高潮にバッチリ効いている。

半日前までは、出口の見えない不安に鬱々《うつうつ》と苦しんでいた俺だったが、今ではもう、すこぶる元気がいっぱいである。人間の心なんて、数ミリグラムの薬物でどうとでもなるものらしい。

「ここですかね？」

線路沿いの細い路地を抜けたところで、アヒル声の山崎が、コンビニの隣にある四階建てのビルを指さした。

俺は勧誘員に描いてもらった地図を確かめた。ビル入り口の案内板にも、『三階、帝国会館』と記されていた。ここで間違いない。

だが——目的地に到着したのはいいものの、俺は幾分拍子抜けしていた。

『帝国会館』というきわめて威勢の良い名前とは裏腹に、ずいぶんとくたびれた古い貸しビルである。一階は不動産屋、二階には税理士の事務所が入っていて、その三階だけを宗教団体が借りているらしい。

夕焼けに赤く照らされたその貸しビルは、余計にずいぶんとみすぼらしく見えた。金箔《きんぱく》などに飾られた、巨大な寺院的建造物を想像していた俺は、かなりの意表をつかれてしまった。

……まぁ、ともかくそろそろ潜入開始だ。

「い、行くぞ山崎君」

「行きましょう佐藤さん」

俺たちは意を決して、ビルの狭い階段を上っていった。

結果、集会への潜入はきわめて簡単に成功した。俺たちの怪しい服装についても、彼らはなんにも言及しなかった。

「実は僕、目が悪くてサングラスが無いと」などという大嘘で、聞かれてもいないことを弁解する俺を、むしろ彼らは「まぁ、それはそれは」などと言って気の毒がってくれた。

……そう、実に彼らは良い人たちだった。

「こんばんわ」「ようこそ」「よくいらっしゃいました」

主婦が、女子中学生が、サラリーマンが、にこにこ笑顔の爽《さわ》やかな挨拶《あいさつ》をしてくれた。俺たちはぺこぺこと頭を下げながら狭い階段を上り、会館の中へと足を踏み入れた。するとまた俺たちは、かなりの拍子抜けを味わった。

会館内には、宗教的雰囲気が欠如していた。蠟燭《ろうそく》とか、十字架とか、祭壇とか、その手の装飾が、まったく存在していなかった。

一番奥に、学校の体育館にあるような講壇が備え付けられており、そこに向かって、スチール製の折り畳み椅子が等間隔に並べられている。収容能力は百人ほどといったところか。

床も壁も、柔らかなクリーム色で統一されていて、蛍光灯の照明も爽やかに明るい。ずいぶんと落ち着いた空気に包まれていて、これじゃあまるで、普通の町内会館だ。

とりあえず俺たちは一番隅の折り畳み椅子に腰を下ろし、身を縮めて目立たないようにした。しかしその試みも、すぐに虚《むな》しく失敗した。笑顔を浮かべた老若男女の挨拶が、俺と山崎を取り囲んだのだ。

昼間勧誘に来た青年が、前もって俺たちのことを皆に知らせていたらしい。

「聖書に興味がおありなんですってね」

子連れの主婦が、

「やはり信仰は、誰もが向かい合わなければいけない問題ですから」

俺と同年代ぐらいの青年が、

「ゆっくり見学していってくださいね」

高校生ぐらいの女の子が——

口々に声をかけてくる。

俺はアヒル声で挨拶を返しながらも、かなりの焦りを感じていた。

——マズイ、このままでは目立ってしまう。というか、すでに充分に目立っている。まだ岬ちゃんは来ていないようだが、こんな状態では変装を見破られるのも時間の問題だ。

そこでとりあえず、一時待避することにした。

子連れの主婦にトイレの場所を訊いて、そそくさと集会場から抜け出す。

「ヤバイっすよ佐藤さん」

「マズイね山崎君」

綺麗《きれい》に掃除された便所で、スッキリ放尿しながら一息つく。

「どうしてあの人たち、俺たちみたいなアヤシゲな人間に、ああも和気藹々《あいあい》と声をかけてくれるんだろう？」

「……僕、ちょっと感動しましたよ」

俺も幾分、驚いていた。あれほどに多数の人間から、開けっぴろげな笑顔を向けられることなど、俺の長い人生においても初めての経験だった。どう対処していいものやら、さっぱりわからない。

「ひひひ！　入信しちゃおうっかな！」

便所の個室に入った山崎が、唐突な哄笑《こうしょう》を始めた。ついで、ガラガラとトイレットペーパーを回す音が響いた。チーンと鼻をかむ音も聞こえてきた。そうして彼は、個室から出てきた。カラーコンタクトをはめた瞳《ひとみ》、その瞳孔《どうこう》が、完全に開ききっていた。服の袖《そで》には白い粉が付着していた。

「どうです佐藤さんも？」

山崎は、クスリの入ったビニールのパケットを差し出した。俺はやんわりお断りした。これからスパイ活動の本番が始まるのだ。クスリの追加摂取によって、冷静な判断力を失ってはマズイ。

俺はティッシュペーパーを口内に含んで、顔の輪郭を変形させ、さらに完璧な変装を整えた。振り切れた笑顔を顔面に貼り付かせた山崎は、トイレの中をぐるぐるぐるとせわしなく歩き回っていた。

しばらくすると、便所の外から賛美歌の合唱が聞こえてきた。始まったらしい。

俺たちはさり気ない足取りで集会場へと戻った。

やはり集会場の室内自体には、なんの宗教的雰囲気も存在していなかった。まったくもって、そこらにある青年会館の研修場といった雰囲気だった。それなのに――

それなのになぜか、俺は背筋に鳥肌を立ててしまった。感動してしまった。

それはアパートから出る際に軽くキメてきたクスリの作用だったのかもしれない。感情を増幅させる、クスリの作用に過ぎないのかもしれない。

だが――

百名近くの人間が、この集会場に一堂に会し、よどみなく、のびやかに、朗々と歌っていたのだ。オジサンオバサン少年少女。皆、顔を正面の講壇にすらりと向けて、神を讃《たた》える賛美歌を、一心不乱に斉唱していたのだ。

そこには確かに、宗教的な聖性が見て取れた。

おお、これぞ宗教！　最高だ！

と、ともかく、賛美歌に包まれた集会場の壁際をそそくさと移動して、一番隅の席に着く。

賛美歌が終わると、講壇に立った中年男の祈りが始まった。彼が一番偉い人らしい。

「天を創造され、この地をも創造され、私たち人間をも創造してくださった、偉大な創造者。あなたの偉大な御名《みな》に、賛美と栄光が返されますように」云々《うんぬん》。

皆、彼の祈りをまっすぐに聴き入っていた。俺たちに目を向ける者もいない。

順調だ。

——と思ってたら、祈りが終盤にさしかかったあたりで、講壇に立った偉い人が、こんなことを言った。

「聖霊のご援助によって、今日も皆さんが、このように集い合うことができました。沢山の子供たち、そして、新しい人——」

——新しい人？

誰だ？　それは誰だ？

俺たちだ。

皆の視線が一斉に俺たちに注がれた。俺はチューリップハットをさらに目深く被《かぶ》り直した。山崎は、皆の微笑みに負けじとばかり、イッてしまった笑顔をますます輝かせた。

視界の隅に岬ちゃんが映った。前方の、一番前の席に座っていた。

だが——大丈夫だ。気づかれてはいない。俺はほっと一息つきつつ、皆に向かって手を振ろうとする山崎を押しとどめた。

「では、全ての感謝を、御子、イエス・キリストのお名前を通して、御前にお祈りいたします」

——アーメン。

全員が唱和した。俺と山崎のアヒル声だけが、ひどく周囲から浮き上がっていた。

＊

この集会の目的は、勧誘活動における技術の向上だ。だから名前を『宣教学校』と言う。

まずはベテランの男性信者が講壇に立って、模範となるべき講話をする。その後、宣教学校の生徒たちが、それぞれの話を持ち時間六分の間に披露する。そして最後に『監督』が、生徒の話に「良」「努」「改」の三段階評価を下す——

隣に座った主婦が、そのような説明をしてくれた。

俺は主婦に頭を下げつつ、周囲をさりげなく観察した。

「…………」

平日の夜だというのに、かなりの人数が集まっている。

まず目に付くのは、大量の主婦だ。そこらのスーパーで買い物してそうな、きわめて普通なオバサンたちである。その他にも、会社帰りに直接やって来たようなサラリーマン風の男や、学校帰りの若者などなど、実にバラエティ豊かな人材が勢揃いしている。

講壇に立ったベテラン男性信者のお話を、彼らは皆、神妙な表情で聴き入っていた。講演の内容を、逐一ノートに書き留めている者もいる。

だが——講演の内容といっても、これがまた、一般人にとっては頭が痛くなるようなお話である。『ハルマゲドン』『サタン』等々の素敵な単語が続出し、俺はお腹が痛くなってきた。

とにかく、ただひとつ確かなことは、ここに集まっている総勢およそ百人。彼らは皆、どこまでもどこまでも本気だということだ。

『人類が誕生したのは六千年前』

『ノアの方船《はこぶね》がアララト山に』

『もうすぐサタンとの戦いが』

『黙示録によると』

——お前ら学研ムーか！

と、叫びたいところであるが、多勢に無勢である。

「…………」

そうして、ようやく最初の講演が終わった。講演の内容を要約すると、こんな感じになる。

『この世の腐敗がますます目に見えて広がっている。政治家の汚職は絶えることなく、世界各地では紛争が相次ぎ、都市部では凶悪犯罪が跡を絶たない。若者たちは淫《みだ》らな交遊にふけり、大人たちはただ物質的な価値だけを求め、ますます道徳は地に堕《お》ちる。つまりそれこそがサタンの仕業である。サタンに支配されたこの世の者たちは、それと知らずに悪の手先と成り果てているのだ。――だからこそ、もうすぐハルマゲドンが近いのです。私たちはハルマゲドンが訪れる前に、ひとりでも多くの人々を、地獄に堕ちる運命から救わなければなりません。そのための布教です』

どうやら神とサタンの対立が存在するらしい。もうすぐ最終戦争が勃発《ぼっぱつ》するらしい。その最終戦争の際、神を信仰している人間だけが助かるらしい。信仰のない人間は、地獄に堕ちるらしい。

あとに続いた生徒たちの講演も、どれも似たような内容だった。神を讃え、サタンを憎む。それが基本方針らしい。

皆、この日までにずいぶんと予行演習を重ねてきたのだろう。聖書のエピソードなどを巧みに引用して、淀《よど》みなく演説している。多少緊張している様子も窺《うかが》えるが、それでも彼らは誇らしげだ。

持ち時間六分の終了を告げるベルが鳴り響くたびに、皆は一斉に拍手する。俺たちも拍手する。そうこうするうちに、数名の若者による講演が終了する。

そうしてついに――俺と山崎は目配せした。

岬ちゃんの番がやってきた。

俺は期待していた。

毎晩のカウンセリングのような、すっとぼけたセリフの数々を聞かせて欲しかった。

愉快に笑わせて欲しかった。

「…………」

だが、講壇に立った岬ちゃんは、小刻みに震えていた。

顔が真っ青だった。

彼女は最後まで、何も面白いことを言わなかった。

ぼそぼそと、限りなく平坦《へいたん》な声で、聖書についての無難なお話をしただけだった。

最後までうつむき加減だった。

辛《つら》そうにしていた。

そのようすは、小学校で、ひとり皆からイジメられていた少女を思い起こさせた。

＊

宣教学校が終わった。

このあと、十分の休憩を挟んで『奉仕会』が行われるらしい。

皆、和やかに歓談していた。主婦グループ、少年少女グループ、成人男性グループ。それぞれ寄り集まって、にこやかな笑顔でお喋《しゃべ》りしていた。

『カズマ君がベテルに』『奉仕の僕《しもべ》が』『しかしこの前の開拓奉仕では』『里美姉妹がとうとうバプテスマを──』等々、専門的なテクニカルタームが頻出していて、会話の意味は、よくわからない。

一方、集会場の隅に目をやると、岬ちゃんがいた。

一人ぽつんとスチール椅子に座っていた。

肩を落として、小さくなっていた。

できるだけ目立たないようにして、集会場の隅で気配を殺していた。

やはり顔が青い。

誰かが近くを通るたびに、岬ちゃんはうつむいた。話しかけられるのを怖がっているようだった。だから休憩時間が終わるまで、誰も彼女に声を掛けなかった。彼女もそれを望んでいるようだった。

和やかな会館の中で、ひとり彼女だけが周囲から浮き上がっている。

俺は山崎を促した。

「……帰ろう」

「何言ってるんですか佐藤さん！　これから奉仕会ですよ！」

山崎は目を血走らせていた。その理由は、なんとなく想像できた。

俺たちがもっとも精通しているテクニカルターム──すなわちエロゲー用語において、

『奉仕』とは『エプロンドレスを着たメイドさんが御主人様に対して行う、愛情の籠《こ》もったある種のマッサージ』を意味する。

「奉仕会ですよ！　あの少女たちに奉仕してもらえるんですよ！」

「んなわけねぇだろうが！」

俺は嫌がる山崎を羽交い締めにして、ムリヤリ外に連れだした。

だが、貸しビルの出口にさしかかったところで、背後から声が掛けられた。

「ちょっと、あんたたち」

昼間の勧誘員の、小さい方。中学生ぐらいの少年だった。

「あんたたち――本当はヒヤカシだろ？」

ブレザーのポケットに手を突っ込んで、俺たち二人を睨《にら》んでいた。

唐突に山崎は走り出した。

わき目もふらずに逃げていった。

またも、俺はひとり取り残された。

しかし少年は、俺を糾弾しなかった。なぜか俺と少年は、夜道を二人で歩いていた。

もう夏なのに、夜風は少し、肌寒い。

少年は、タバコをくわえていた。

「かー──」

「戒律違反だよ。確かに」

少年は俺の機先を制すると、ポケットからジッポーを取り出して、手慣れた様子で火を点《つ》けた。

俺の右どなりを歩きながら、少年は言う。

「時々いるんだよ。怖いモノ見たさで集会を見学に来るヤツ。あんたたちみたいな馬鹿な学生とかな。……それで、どうだった？　面白かったか？」

俺はなんにも言えなかった。

「何もオレだって、好きで宗教やってるわけじゃない」

「……というと？」

「親だよ。父親も母親も、宗教大好き人間だ。家の中で、オレだけがひとりまともな頭をしてる。それでもし、オレが宗教を抜けるって言ったら、どうなると思う？　……いつだったか、母親に言ったことがある。『部活をやりたい、友達と遊びたい』って。そうしたら、あのババアは怒鳴ったよ。『この悪魔！』ってさ。しばらく弁当も作ってくれなかった」

そうして少年はハハハと笑った。

「親の機嫌が悪くならないぐらいに適当に付き合いながら、外では普通にやってるのさ」

学校では普通の若者として過ごし、家庭では立派な宗教者として暮らす――そんな二重生活を送っているという。

「……だからなぁ、あんたたち。間違っても入信しちゃダメだぜ」

それは真面目な声だった。

「今日はチヤホヤされただろ。結構気分が良かっただろ。こんな優しい人たちとなら一緒にやっていけるかもしれないなぁ、なんて、そんなバカげたことを思ったろ？　でもな、それは違うぜ。アレがあいつらの上手《うま》いやり方なんだよ。別に、無償の愛じゃあないんだぜ。あんたたちを入信させるための手段なんだぜ」

「…………」

「いったん中に入ってしまえば、そこにあるのは普通の社会だ。みんな長老の座を狙ってる。みんなベテル行きを狙ってる。家の父親なんて、根回しに必死だよ。よその長老に贈り物を贈って、なんとかのし上がろうとして。ホントに馬鹿らしい。――今日も見たろう？　一番最後に発表した子。あの子なんて、ついこの前までただの研究員だったのに、家族に言われてとうとう宣教学校に入っちゃったんだぜ。家族が宣教学校で発表すれば、あの子のオバサンの鼻も高くなるからな」

俺はさりげなく、さらに岬ちゃんのことを訊《き》いてみた。

「……ん？　だからあの子は、ついこの前研究生になったばっかりの、ただの娘だよ。あのオバサンの養女だとかどうだとか。オジサンの方が宗教に興味ないらしくて、それで救われてるって言えば救われてるけど。……いや、板挟みで余計に大変か。なんか、いつも辛《つら》そうにしてるからな」

俺は内部事情を教えてくれた少年に、深く感謝した。

別れ際に、少年が言った。

「だからダメだぜ。絶対に入信しちゃ。……いや、別に入信しても良いけど、そしたら子供を作るなよ」

俺は小さくうなずくと、アパートに帰った。

3

翌日、俺と岬ちゃんは街を歩いていた。

空は青く、雲ひとつない。

土曜の駅前は人通りが多く、俺は少々、くらくらした。

約束通り、昼の一時に近所の公園で待ち合わせて、それからまっすぐ駅前へと向かい

——すでにそれから二時間近くが経過している。

俺たちは、歩いていた。ただひたすらに歩いていた。

右斜め前方を歩く岬ちゃんが俺を先導しているのだが、どうもさきほどから、同じ道を何度も繰り返しぐるぐると回っているような気がする。

それでも岬ちゃんの足取りは揺るぎなかった。

どこかに目的地が存在しているようではあるが――

ついにたまらず俺は訊いた。

「あのう、俺たち、どこに向かって歩いてるんだろう？」

岬ちゃんは振り返った。

「……え？」と言った。

「いや、目的地は？」

「こうやって歩くの、ダメ？」

俺は天を仰いだ。

足を止めた岬ちゃんは、腕を組んで考えこんでいた。

「……うーん。言われてみれば、確かに変かも。よくよく考えてみれば、普通はどこかに入るものかも」

「…………」

「ねぇ、普通だったら、どこに行くんだろう？」

そんなこと訊かれても困る。

そもそも俺たち、一体全体、何をやっているんだ？　土曜の昼に、こうやって待ち合わせて、街を歩いて――そんな俺たちは、一体全体何者なんだ？　その答えいかんによっては、赴くべき場所もまた、多種多様に変化すると思う。

ともかく、俺は訊いた。

「岬ちゃん、行きたいところ、ある？」

「ない」

「……昼ご飯は？」

「まだ」

取り敢《あ》えず、近くのファミレスに入ることにした。

*

ファミレスに入ると、岬ちゃんは言った。

「こーゆー所でご飯食べるの、初めて」

「…………」

俺はタバコに火を点けた。やはりその先端は細かく震えていた。辛くなってきた。サングラスが欲しい。アレさえあれば、他者からの視線に脅《おび》えなくてすむ。

岬ちゃんはランチセットを頼んだ。パクパク食っていた。俺はひたすらコーヒーを啜《すす》った。しまったと思った。カフェインの作用で、ますます落ち着きが無くなってしまう。挙動不審になってしまう。

だけど一方、岬ちゃんはずいぶんとニコニコしていた。愉快そうだった。テーブルに設置されているペーパーナプキンで、何かの折り紙を作製していた。

「ほらね完成、すごいでしょう?」鶴だった。

「……凄《すご》いね。器用だね」俺は褒めた。

胃が痛くなってきたので、ファミレスを出た。

その後さらに三十分ほど歩き、今度は喫茶店に入った。俺は紅茶を飲んだ。岬ちゃんはケーキを食べていた。俺はこの会合の、そもそもの目的を思い出そうとした。

この前の夜——岬ちゃんは言った。

『街に出ましょう。そうすれば、きっと良い方向に向かうと思うよ』

そうなのだ。すなわちこれは、ひきこもり脱出プログラムの一環であり、なにも二人でデートなどをしているわけではないのだ。が——昨夜のこともある。昨夜の岬ちゃん観察によって、彼女の正体がますます不透明になってしまった。少なくとも宗教勧誘という線は、完全に消えた。あれほど周囲から浮き上がっているのに、わざわざ熱心に勧誘などをするわけない。

結局彼女は何者なのか? それはいまだに大いなる謎である。そんな謎めいた娘と、こうやってブラブラしている俺は、一体全体どうするべきなのだろう？　どうしたものか。

「…………」

結局俺は、為すすべもなく押し黙った。

すると岬ちゃんは、背中の鞄《かばん》から一冊の本を取りだした。その本のタイトルは『貴方《あなた》を導く言葉の数々——心に響く名言集』

またまたあやしげな本を。もう呆《あき》れもしないが。

岬ちゃんはケーキの皿をどかして、テーブルの上に本を広げた。

「れっといっとびー」そう言って、俺の顔を覗《のぞ》き込む。

「ジョンって人の言葉だそうです」

「…………」

「どういう意味だろうねコレ？」

「な、なすがままに」

「わあ、良い言葉だね！」

俺たちが最終的にたどり着いたのは、いつぞやのマンガ喫茶だった。岬ちゃんのバイト先である。

レジに座っていたオジサンに、岬ちゃんは小さく頭を下げた。俺は一般客を装って、伝票を受け取った。そうして俺たちは、マンガ喫茶の一番奥に腰を下ろした。

他に、客は数人だけだった。閑散としていた。

俺はフリーサービスのコーラを飲みつつ、むやみにマンガを読んだ。差し向かいに座った岬ちゃんは、俺を見つめてオレンジジュースを飲んでいた。

気が散って気が散って仕方がない。そろそろ胃に穴が空くと思った。

「…………」

もうダメだった。

こんな状況でマンガなんて読めるわけがない。俺はとにかく口を開いてみた。

「岬ちゃん」

「んん？」

「人が少ないマンガ喫茶だね」

「最近不況だから」

「……あのオジサン、岬ちゃんとはどういう関係？」

「オジサンはオジサンです。いつも迷惑かけてます。……だけどもうすぐお別れだから、許してもらえるかと思います」

なにやら複雑な家庭環境などがあるらしかったが、俺はそんな話を聞きたくなかったので、方向転換した。

「ところで岬ちゃん、宗教活動、楽しい？」

「それほどでも。……昨日もみんなに迷惑かけちゃったし」

「迷惑って？」

「こう、場の調和というか。あたしがいるだけで、いろいろと他の人はゲンナリするんです。だから本当は、どこにもあたしはいない方が良いんだけど――」

「脱退すればいいのに」

「そうもいかないよ。オバサンに、せめてもの恩返しをしなきゃ」

「でも岬ちゃん、本当は神様なんて信じてないんだろ？」

岬ちゃんは、ジュースのコップをテーブルに置いた。ことんと音がした。

「……いたらいいなぁ、と思うけど。できることなら信じたいけど。だけどなかなか難しいものです」

それはずいぶんと残念そうな声だった。残念そうな声で、唐突なことを言った。

「そもそも神様ってさ。もし本当にいるとしたら、実はすごい悪者なんだよ。あたしが総合的に考えた結果、そのような結論が出たんだけどさ」

「……はぁ？」

「人間の一生って、苦しいことと楽しいことの割合は、きっと九対一ぐらいなんです。この前、ちゃんとノートに書いて計算してみたんだけど」

岬ちゃんは鞄から秘密ノートを取りだして、テーブルに広げた。

「ほら、円グラフ。これを見れば一目瞭然《りょうぜん》なとおり、楽しいなぁとか、生きてて良かったなぁとか、そんな幸せなひとときは、人生の一割にも満たないのです。……しっかり電卓で計算したから、間違いないよ」

どのような計算方法だったのか、だいぶ気になったが、岬ちゃんは円グラフが描かれたページ以外を見せてくれなかった。俺もわざわざプライバシーを侵害するつもりはない。

さらに岬ちゃんは言った。

「ですからね。わざとこんなに辛い世の中を作った神様は、きっとすごい意地悪なヤツなんです。……ね？　論理的な話でしょう」

「でもさっき、岬ちゃん、神様を信じたいなぁって言ってなかった？」

「うん。信じたいよ。いてくれたらいいって思うよ。だってさ——」

「だって？」

「そんな悪い神様がいるんなら、逆にあたしたちは健やかに生きていけるよ。神様に不幸の責任を押しつけられれば、逆にその分あたしたちは、すっかり安心できるでしょ？」

難しい話だった。

俺は腕を組んで考え込むフリをした。だけど頭が働かなかった。

そもそも岬ちゃん、どこまでマジメに話しているのか。さっきから、妙にニコニコと笑顔だ。最初から最後まで、なんとなく煙《けむ》に巻かれているような気がする。

だが、最後に小さく呟《つぶや》いた彼女の言葉、それはやっぱり本気のようだった。

「……神様を信じられたら、幸せになれるよ。神様は悪いやつだけど、それでもきっと、幸せになれるよ」

問題は——と彼女は続けた。

「問題は、あたしの想像力が貧困で、うまく神様を信じ込むことができないってことです。——ほら、聖書か何かみたく、目の前で凄く派手な奇跡とかを起こしてくれればいいのにね」

無茶なことを言う女だった。

その後一時間ほど談笑した俺は、そろそろおいとますることにした。レジで金を払おうとすると、オジサンが「いいから」と言った。

「……仲良くしてあげてください」

年頃の娘に近づく男にかけるセリフとしては、完璧《かんぺき》に間違っているような気がしたが、そのオジサンの、どことなく疲れたような表情には、妙な説得力が漂っていた。

俺は小さく頭を下げると家路を急いだ。

*

アパートに帰ってくると、俺はビックリ驚いた。

俺の部屋の真ん中に、マネキンみたいな等身大の人形が設置されていた。その人形のまわりを、山崎がふらふらと旋回していた。

「お帰りなさい佐藤さん！　御神体ですよ！」

「…………」

「学校の知り合いの友達の兄さんが、昔に買ったルリルリ等身大フィギュアを持て余してるって話を、いつだか小耳に挟んでまして。そこでさっそく、僕が手段を尽くして、そのフィギュアをゲットです！　だから佐藤さんも拝んでください！　この、白くて青くて小さくて可愛いルリルリを！」

何かのアニメキャラらしい。年の頃は小学校高学年と思われる等身大人形に、山崎は平身低頭していた。

見ると、クスリを入れておいた金属製の缶が空っぽになっていた。残り全てを山崎が摂取してしまったらしい。

「ええ、クスリを使いましたとも！　そうして僕は、またもや今世紀最強のトリップを体験しましたよ。——そう！　今度こそ僕は悟ったんです。ええ佐藤さん、僕はこの世の仕組みを見てとりました」

山崎は人形の足元に額をすりつけてから、ふいにガバッと立ち上がり、こちらを向いた。

「……僕はずうっとずうっと考えていたんです。僕らには何かが足りない。僕らには、何かがぽっかりと欠けている。胸に、大きな穴が空いている。それを埋めてくれるものが欲しい。満たして欲しい。——そう。昨日の宗教見学も、見事に僕の思索を裏付けていた。皆、不安なんだ。ワケが分からない世の中を、誰かにすっきりと整理整頓《せいとん》して欲しいんだ。だからこそ彼らは神様を作った。神とサタンの二項対立によって、この世をわかりやすく説明していた。——あぁ、その単純で力強い物語！　僕は感動した！

……だがしかし、いかんせん僕らには、あの神様は不向きだ。なぜならば、どうにもあの神様、いかにも恐ろしげだ。『目を覚ませよ！』のイラストを見ればわかるとおり、ひどく写実的で、萌《も》えられない」

山崎は、部屋の隅に転がっていた『目を覚ませよ！』を手に取ると、俺に突きつけた。

「六月号の特集、『守護天使——常に貴方《あなた》を見守っています』を見てください。あの宗教において、天使はこのような姿形をしています」

山崎が開いたページには、逞《たくま》しい男のイラストが、リアルなタッチで描かれていた。筋骨隆々の、その男。彼の背中には羽が生えていた。

『目を覚ませよ！』を一息に引き裂くと、山崎は叫んだ。

「こんな天使、いらねぇよ！　ボディービルダーかっつうの！　天使っていったら、もっと、こう、可憐《かれん》で、萌え萌えで、ロリロリな——」

俺の脳裏を、『天使』の少女がヒロインとして登場するエロゲーの記憶が、いくつもいくつもよぎっていった。

「そう！　そうなんですよ！　わかりましたか佐藤さん？　だから今こそ宗教改革です！」

「…………」

「ご神体は、このルルリ人形！　そして僕が教祖！」

俺は山崎の肩を、ぽんぽんと優しく叩《たた》いた。山崎はその手を振り払うと、さらにわめいた。

「信じる者は救われる！　だから自分で信じられるものを作り出すんだ！　人生に意味を！　素敵な宗教で、生きている意味を！」

部屋中をぐるぐるとうろつきまわり、拳《こぶし》を振り上げ、吠《ほ》えていた。なんどもなんども絶叫していた。

だけど最後に山崎は、等身大人形にすがりついた。

「……このままじゃ、生きていけない」と呟く。しかしその目は醒《さ》めていた。

俺は温かいコーヒーを淹《い》れてやった。

山崎は、涙ぐみながらコーヒーを飲んだ。なんとなく俺も泣きたくなった。

「なぁ、ところで山崎君。この人形、どうすんの？」

「佐藤さんにあげます。自由に使ってください」

九章　おしまいの日々

1

ひきこもりにとって、冬は辛《つら》い。寒くて凍えて、わびしいからだ。

ひきこもりにとって、春も辛い。みんな陽気で、妬《ねた》ましいからだ。

だからといって、やっぱり夏も、辛くて辛い。

蝉のうるさい夏だった。朝から晩まで、みーんみーんと鳴きやむことを知らない。

暑くて腐る、夏だった。エアコンを入れっぱなしにしていても、それでも暑い。エアコンが老朽化しているのか、それとも今年が特別に暑いのか。

とにかくひたすら、うだってしまう。

責任者出てこい！　と叫びたいところであるが、今の俺にはそれだけの元気もない。バテていた。夏バテだった。食欲が不振で、精神も疲弊している。いかにリポビタンDをがぶ飲みしようとも、この倦怠《けんたい》感をぬぐい去ることは不可能だった。

だが――それでも隣人だけは元気だった。ますますむやみに騒いでいた。朝から深夜まで、大音量のアニソンを響かせていた。

聞くところによると、最近は一日四時間程度しか眠っていないという。アニソンを聴きながら、クリエイティブな作業を頑張っているという。充血した目をぎらぎらと輝かせて、まったく無意味な創作活動に励んでいるという。

そんなある日に、山崎は言った。

「やっとゲーム作りが一段落しましたよ」

「ほう」

「そして今日からは、爆弾作りを始めます」

「……はぁ？」

山崎は答えず、生の食パンを黙々と齧《かじ》った。ずいぶんと適当な朝食である。

俺は彼のように無精な人間ではないので、ちゃんとパンをトーストして、ついでに手早く目玉焼きを焼いた。

「いただきます」

「だからあんた、人の冷蔵庫から勝手に飯を――」

俺は知らないフリをした。

＊

岬ちゃんは夏なのに長袖《ながそで》の服を着ていた。しかし彼女は陽気だった。

「楽しいなぁ、楽しいなぁ、楽しいなぁ」と言った。

実に楽しそうだった。愉快にブランコを漕《こ》いでいた。

やはり今夜も熱帯夜である。黙っていても汗が噴き出す気温であるが、それでも岬ちゃんは涼しげだ。髪をなびかせて爽《さわ》やかにブランコを揺らしながら、「ところで佐藤君、余った猫缶、食べる？」と言った。

いつぞやの黒猫が、いつのまにやら行方不明なのだった。もうずいぶんと長いこと姿を見せていない。車にひかれて昇天したか、それともどこかに旅立ったか。

ともかく俺は「いらない」とお断りした。

「買い置きしてんだけど、あぁ、もったいないなぁ」

岬ちゃんは華麗にブランコから飛び降りると、ジャングルジムの脇にある、こぢんまりとした砂場に踏み込んでいった。

近所の子供が置き忘れていった緑色のシャベルを手に持って、ぺたぺたぺたと、夜の砂場に何かを造形している。

俺は訊《き》いた。

「なにそれ？」

「山」

確かに山だった。砂場の真ん中に建設された、それは鋭角な山だった。北斎の描く富士山ほどに急角度なので、ふとした拍子に崩壊してしまいそうに見えたが、しかし砂山は、何の滞りもなく立派に完成。

夜露に湿った砂の特性を生かした、見事な仕事だった。

岬ちゃんは手を叩いて砂を払い落とすと、山の周りをぐるりと一周した。

それから俺の顔を見た。

俺は「良い山だね」と言った。

岬ちゃんは小さく微笑むと、「えい」とかけ声を発し、山に向かって前蹴《まえげ》りを放った。

「形ある物は、いつか壊れます」

「そうだね」俺はうなずいた。

岬ちゃんが背中の鞄《かばん》から取り出す書物は、毎晩毎晩、実にバラエティ豊かだった。一週間に一度、図書館から大量に借り入れてくるらしい。

小説、詩集、実用書、参考書――さまざまな体裁の書物を岬ちゃんは読み、ついでに俺にも読み聞かせる。

「ささて。今夜のテキストは、『有名人の最後の言葉』です。立派な人たちが死んじゃう間際に残した言葉を参考にして──」

──参考にして？

「人生とは何かを考えましょう！」

「…………」

それはかなりの大技だった。平気な顔をして、そのような非日常的セリフを口に出す岬ちゃんに、俺はすっかり参ってしまう。……それでもまぁ、昨日の『生きる意味を考えましょう』に比べれば、まだまだ大したことはないが。

俺は気を取り直して、続きを促した。さっそく岬ちゃんはテキストの朗読を開始した。古今東西の有名人、その辞世の言葉を集めた本らしい。俺は大人しく拝聴した。

「…………」

だが、本を朗読しているうちに、だんだん岬ちゃんも飽きてきたらしい。いつのまにやらコンセプトが変化していた。

「もっと光を。──さて、これは誰の言葉でしょう？」

クイズかい！

「3・2・1──時間切れ！　答えはゲーテです。それにしてもコレ、格好よすぎるセリフだよね。たぶんゲーテさん、前々からセリフを用意してたんだと思うよ」

「そ、そうかもね」

「じゃあ、次の問題。——三日とろろ、おいしゅうございました」

これはわかった。

「マラソンの円谷《つぶらや》選手が残した遺書」

「ピンポンピンポン。正解です！　よく知ってたね」

有名な遺書なので知ってても自慢にはならないが、それでも岬ちゃんは誉めてくれた。

遺書の内容にも、妙に感心しているようだった。

「三日とろろ——って、なんだか冗談みたいな遺書だよね」

「たぶん、そこが逆に感動を誘うんだよ」

「なるほど。参考になるなぁ」

そんなことを言って、しきりにうなずいている。

「……円谷選手、死ぬ間際に故郷に帰ったんだってさ。そうして、お父さんお母さんと一緒に、とろろいもを食べたんだって」

「ほう」

「やっぱりみんな、死んじゃう前には故郷に帰りたくなるみたいだね」

「……そういや岬ちゃんって、出身はこの町？」

「ううん、違うよ。……北極星があそこにあるから——たぶん、あっちの方」

岬ちゃんは北北西の方角を指さして、俺の知らない町の名前を教えてくれた。日本海に面した人口五千人の小さな町だそうだ。綺麗《きれい》な岬がある町だそうだ。だけどその岬は、ちょっとした自殺の名所なのだそうだ。

「明治時代のとある有名人が身投げして以来、自殺のメッカになったらしいよ。最近になって事故防止の工事をしなきゃいけなくなったぐらい、毎年決まって飛び降りとか、足を滑らせる観光客がいたって言うよ。小さい頃は、そんなことぜんぜん知らなくてさ、いつもその岬で遊んでたんだけど――」

だけど――ある日、あたしも女の人を見たよ。

と岬ちゃんは言った。

「高い岬の崖《がけ》っぷち。夕日が綺麗で真っ赤でさ。女の人も、綺麗だったよ」

「で？」

「ちょっと目を離したら、いなくなっちゃった」

「…………」

「今でも時々、夢に見るよ。もしかしたら、最初から夢だったのかもしれないけど。……だって、その女の人、すごく朗らかに微笑んでたから。健やかな顔をしてたよ。ひとりで、海と夕日を見つめてたよ。だけどほんの一瞬、目を離した隙に、なぜかどこかに消えちゃった。……変な話でしょ？」

変な話だった。

「でもねぇ……なんだろう？　せめて遺書ぐらいは残すべきだと思ったよ。たとえば、とろろいもとか」

「……とろろいも、食べたいなぁ」

「かゆくなるよね」

「うん」

「でも、おいしいよね」

「………」

迷走する会話だった。

やはり俺は途方に暮れていた。しかし岬ちゃんは笑っていた。

「——あぁ楽しいなぁ愉快だなぁ。そう思うでしょ佐藤君」

「そうだね」

「だけど、そろそろ終わりだよ。……プロジェクトの最終日が迫っています」

岬ちゃんは本を鞄にしまった。

「これだけタメになる講義を続けてきたんだから、そろそろ佐藤君、立派な大人になれたでしょ？」

ベンチから立ち上がり、そう言った。

「もう、わかるよね？　どうして自分がダメ人間になっちゃったのか。なんでひきこもりになっちゃったのか。そろそろバッチリわかったでしょ」

「…………」

「ちゃんと考えてみれば、きっとわかるよ」

俺はベンチに腰を下ろしたまま、岬ちゃんを見上げた。夜の公園、彼女の輪郭だけしか判別できない。だから表情は窺《うかが》えない。

「……そろそろホントに、もう時間がないから。これ以上オジサンオバサンに迷惑はかけられないから――だからあたし、もうこの町からいなくなるよ」

その声色は、いたって普通だ。だから俺も冷静に訊《き》く。

「どこ行くの？」

「人の沢山いる都会。誰もあたしを知らないところ。知ってる人の、いないところ。――だからそれまでに佐藤君、佐藤君は、立派になってよ」

なにやら話がよく見えないが、大変な無茶を言う娘《こ》である。

俺はぼんやり首を横に振った。

岬ちゃんは「そんなんじゃダメだよ」と言った。

そこで俺はとりあえず「よしわかった。俺はもう大丈夫だ」と言ってみた。

「いやぁ、君のおかげで、俺は生まれ変わった。だから君も安心して、どこかの町で一人暮らしを始めてくれ」

「………」

どうやら、まだ何か不満があるらしい。

俺はひたすら陽気な声で礼を述べてやった。

「ありがとう！　君は俺の恩人だ！　……あ、そうだ。俺のステレオとか持ってく？　一人暮らしに必要だろ。なんならプレゼント――」

「……そうじゃなくてさ」

「そうじゃなくて？」

「………」

俺は辛抱強く、彼女の言葉を待ってみた。しかし岬ちゃんは、とうとう何も言わずに背を向けた。

俺も立ち上がった。

「それじゃ、さようなら」アパートに向けて歩き出す。

――と、そこで岬ちゃんは俺を呼び止めた。

「やっぱり、待った！」

「は？」

「デートしましょう」

「…………」

「卒業試験です。佐藤君が、本当に立派な人間になれたかどうかのテストなのです。日曜日の十二時に駅前集合、雨天決行！」

逆ギレっぽい大声で宣言すると、岬ちゃんは早足で歩き去っていった。

＊

一方山崎は、本当に爆弾を作っていた。ネットから爆弾レシピを手に入れて、しっかりばっちり爆弾製作していた。

まずは黒色火薬を作る必要があるらしい。

黒色火薬、その歴史は遥《はる》か大昔にまで遡《さかのぼ》る。たとえば、いわゆる「元寇《げんこう》」の時、日本のサムライたちを驚かせた「てつはう」という武器に使われていたのも、やはり黒色火薬である。

極めて原始的な火薬であるが、それでいて威力は抜群だ。

硝酸カリウムと硫黄《いおう》と黒炭を混ぜ合わせるだけの簡単クッキングでありながら、十グラム程度を密封破裂させると、その威力たるや恐ろしいもので、普通の乗用車の窓ガラスを全て割り、中の人間を即死させるほどのパワーがあるらしい。

「……爆弾なんて何に使うんだ？」

「決まってるじゃないですか、爆発させるんですよ！」

それはまぁ、確かにその通りだ。爆弾にそれ以外の用途などありはしない。

「だけど、つまり何を爆発させるのか？——と、俺はそれを聞きたかった」

「敵ですよ」

「て、敵とは？」

「悪者です。悪者を、この革命爆弾でやっつけてやります」

「なるほど。……して、悪者とは？」

「……たとえば政治家とか？」

「お前、今の総理大臣の名前、知ってるか？」

「…………」

山崎は押し黙り、作業を再開した。

まもなく、黒色火薬の製作と鉄パイプの密閉が完了した。アナログ時計を用いた発火装置も完成した。あとはその発火装置を取り付けるだけで、いつでも爆発させられる。

「やった、完成だ！　僕は闘士だ！　革命家だ！」

山崎は、はしゃいでいた。

「吹っ飛びますよ！　悪者は皆殺しです！」

はしゃいでいたが、醒《さ》めてもいた。

「……あーあー、楽しかった」と言った。

結局その爆弾は、悪者を吹き飛ばすことはなかった。そもそも俺たちは、悪者の居場所を知らない。

仕方がないので、土曜の夜に、近所の公園で爆発させてみた。

人から見えないよう、わざわざ茂みの中に潜り込んで、発火装置を慎重にセットした。

確かに爆弾は爆発した。だけどぜんぜん大したことはなかった。

わびしい話である。

で、そうこうするうちに、日曜日になった。

俺は約束通り、岬ちゃんと駅前で待ち合わせた。

デートした。

それから、アパートに帰った。

一晩ぐっすりと眠った。目が覚めると、朝だった。なにもすることがなくて、暇だった。

そこで俺は、またもや買い置きしておいたクスリを、一度にどっさり摂取してみた。楽しくなってきた。愉快になってきた。俺は笑った。

2

クスリは大きく三種類に分類できる。アッパー、ダウナー、サイケデリックスの三つだ。

アッパーとは、元気になるクスリ。コカインやら覚醒剤《かくせいざい》やらが有名である。

ダウナーとは、ヘロインなどの怠《だる》くなるクスリ。経験が無いのでよくわからないが、すこぶる気持ちが良いらしい。

そしてサイケデリックスとは、幻覚剤のこと。ＬＳＤや、マジックマッシュルームなどが代表格か。

俺は主に、合法の幻覚剤のみを愛好していた。アッパーやダウナーのような副作用も少ないし、なにより合法なので簡単に入手できる。

そうして俺は、今日もクスリを使うのだった。

かなりのハイアタックをしてみることにした。

まず、ＡＭＴ三十ミリグラムで下地を作る。ＡＭＴ――もともとはロシアで研究されていた抗鬱剤《こううつざい》である。大量に服用すると幻覚作用が発現するとわかったので、薬としての使用は中止されてしまったのだが、それでもさすがに元抗鬱剤。服用して最初の二時間は酷《ひど》い吐き気に苦しめられるが、それを乗り越えれば、ひたすら楽しくなってくる。バッドトリップ対策には最適である。

その次に、ハルマラという植物の種子を煮詰め、黄色みがかったその上澄み液を、ごくごくと飲み干す。ハルマラ――インドール系幻覚成分のハルミンとハルマリンを含有している、チベット原産のハマビシ科植物だ。単体の使用では何の効果も現さないが、マジックマッシュルームやDMTなどの、他の幻覚剤と併用することによって、その効力を数十倍にも増幅してくれる。これがいわゆる、アヤワスカと呼ばれる技法である。MAO阻害剤なので、チーズや乳製品などと同時に摂取すると命に関わる危険性があるが、その点にさえ注意していれば問題ない。

「………」

さて、ここからが本番だった。

すでに意識はもうろうとしており、視界がグニャグニャ歪《ゆが》んでいるが、しかし、ここからが真のトリップ。まだまだ行くのだ。

俺は乾燥マジックマッシュルーム五グラムを、すり鉢でごりごりと細かくすり下ろし、その粉末をオレンジジュースで一気に流し込んだ。さらに5MEO-DMTの結晶十ミリグラムを、勇気を出して飲み込んだ。DMT――アマゾンのインディオがアヤワスカの儀式に用いるチャクラパンガなどの幻覚性植物、その有効成分のみを化学的に合成した薬物である。合法でありながらも、そのパワーは今世紀最強。一説によると、その幻覚作用は

ＬＳＤの百倍以上。まさに究極のサイケデリックス。

ほら、あっという間に腰が抜けた。

キマッた。

完成だ。

佐藤スペシャルの完成だ。

試行錯誤の末に編み出した驚異の必殺技である。四種類の薬物を効果的にカクテルする事により、違法ドラッグでさえも遠く及ばない究極のトリップが約束される。

俺は月ロケット並みの高推力で、大宇宙の遥か彼方にまで吹っ飛ばされた。時間が完全に停止した。空間が完膚無きまでに歪み果てた。肉体は消失した。

＊

「ヤベッすよ佐藤さん。大変なことがわかりました！」

山崎が言った。

「悟っちゃいました！　ヤバいですよマジで！」

俺も何かを言おうとしたが、口が動かなかった。しかし山崎はひとりで興奮していた。

「いいですか？　よく聞いてくださいよ。大変なことですから」

しかたがないので、俺はよく聞いた。

山崎は胸を大きく反らし、最高の笑顔でこう言った。

「僕がこの宇宙を創造した唯一神だったってことが論理的に証明されました！」

「………………」

俺は死んだ。それからもう一度生き返った。

「見てくださいよ。今から超能力で部屋をかたづけます」

山崎は、床に散乱したゴミクズに人差し指を向け、「動け！」と叫んだ。当然の事ながら、ゴミクズはぴくりともしなかった。

「おい！　この僕が命令してんだぞ！　なに抵抗してんだよ！」山崎は怒っていた。

その様子を眺めているうちに、何かがこみ上げてきた。体の奥底から溢《あふ》れだしてくる、それは得体の知れない感触だった。

俺は腕を組んで、その感触について深く考えてみた。

「………………」

永遠とも思える長さの時間が流れすぎた後に、俺は気づいた。

「わかったぞ。これは――」

吐き気だ！

猛烈な吐き気に襲われていた。俺はトイレに駆け込もうとした。しかし――あぁ、やはりトイレへの道のりは険しかった。足が前に進まない。アパートの廊下も、いまや五百メートルほどに延長している。トイレは遥《はる》か遠方だ。俺はトイレにたどり着けるのか？

間に合うのか？　吐瀉《としゃ》物をまき散らす前に、俺はトイレにたどり着けるのか？

……大丈夫だ。落ち着け俺。

先ほど山崎は言った。『僕が神です』と。

しかし、俺は知っている。彼の言葉が、まったくの誤りであると知っている。

なぜならば――この俺こそが神だからだ。ついさきほど、まったくの論理的思考によって、その事実が確認された。

だから間に合うぞ。俺は神なのだ。だからトイレに間に合うぞ。間に合った。

俺は便器に突っ伏して、げぇげぇ吐いた。すっきりした。そしたら元気になってきた。楽しくなってきた。

よたよたとスキップして部屋に戻ると、山崎がヒンズースクワットしていた。

「ヤバイっすよ。小学生はヤバイっすよ」

そんなことをぶつぶつと呟《つぶや》きながら、ニヤニヤ笑ってスクワットしている。何か犯罪的なことを考えているらしい。

俺はその様子に、なぜか激しい既視感を感じた。

「前にもこうゆうことがあったような――」

そのように考えてみると、いきなり怒濤《どとう》のデジャヴ十連発が襲ってきた。見るもの全てが、過去の出来事のようだった。

　そこで俺は、その感覚について、山崎と討論してみた。しかし次第に、なにがなんだかわからなくなってきた。

「あれ、この話、前にも話したっけ？」

「何を言ってんですか佐藤さん。ぜんぜん意味がわから——」

「ちょっと待って、ゆっくり考えてみるから」

　俺は床に俯《うつぶ》せになって、一生懸命考えてみた。

　そうしたら、思い出すことができた。

　俺は遥か数千年前の古代から、時空転生してこの世界にやって来た戦士なのだった。もちろん山崎には、その事実を秘密にしておくことにした。重大な機密だからだ。

　しばらくすると、山崎が言った。

「息した方がいいですよ。死んでますよ」

　俺は息をした。生き返った。山崎に深く感謝した。世界は愛によって包まれていると思った。ありがとうありがとうと頭を下げた。

「…………」

　しかし、俺が生き返ったのと入れ替わりに、今度は山崎が苦しそうな素振りを見せ始めた。喉元《のどもと》を押さえ、床の上をゴロゴロ転がって、七転八倒していた。「どうした？」と訊《き》くも、彼は声にならないうめき声を発するだけで、何も言わずに悶《もだ》えていた。

そうして彼は、ふいにノートとボールペンを持ちだして、俺に指し示した。

震える手で、何かを書き記している。

俺はその文字を、長い時間をかけて解読した。

わすれた　声の　出す　方法

山崎は喉を押さえて悲しそうな顔をしていた。俺は彼の背中を思いっきり叩いた。彼は「痛い」と言った。俺は親指を立てた。山崎はニッコリ笑った。

さて、そろそろ屋外に繰り出すことにした。

すでに深夜なので、警察に通報される恐れはない。

近所の公園に赴く。

山崎は、ロボットみたいな歩き方をしていた。もしかしたら、本当にロボットなのかもしれない。しかし、そのような事を考える俺は、だけど果たして本当に人間なんだろうか？　ちょっと不思議に思った。そこで、公園の街灯に頭をがんがんぶつけてみた。

大変だった。痛くない。痛くない。全然痛くない。

「……ロボットだった」

こうしてまたひとつ、新たな真理を悟った。

……まぁ、それはそれとして。

夜の公園は、とにもかくにも素敵だった。

街灯だけが唯一の光源なのに、公園内は長時間露光で撮影された写真のように、淡く輝き、きらめいていた。生命力に満ちあふれていた。すべてが生きているのだった。古びたベンチの緩やかな震え。どっしりとした街路樹の確かな息づかい。その枝と葉の伸びやかなくねり。みんながみんな、生きていた。

その光景に感動していると、山崎が言った。

「音楽が聞こえてきますね」

俺も気づいた。公園のどこかから、得も言われぬ美しい音楽が流れ出している。

俺たちは、その音楽の発生源を探索した。

草の根をかき分け、ベンチの下に頭を突っ込み、ずいぶんと長い間うろうろと公園を歩き回り——そうして我々は、一台のスピーカーを発見した。一番大きな街路樹の、その根っこ。そこにスピーカーが埋め込まれていた。

しかし、不思議な話だった。よく仕組みがわからない。

俺と山崎は相談した。

その結果、どうやらそのスピーカーは、ホワイトホールらしいと結論づけることが出来た。
だから俺たちは、そのホワイトホールの周りを、ぐるりと一周してみた。
すると、綺麗《きれい》な湖に出た。
山崎はおもむろに衣服を脱ぎ捨てると、頭から湖に飛び込んだ。しかし――
「わあ。砂場でした」
湖は、実はただの砂場だったらしい。だけど、俺にはどうも、湖に見えた。
彼の言うことは、あんまり信用できないなと思った。
……まぁ、それはそれとして。
それにしても、どうもさきほどから、時間がとぎれとぎれだった。
昔に戻ったり、未来に進んだりした。
俺は考えた。
――今は一体、いつなんだろう？
「おーい山崎君。今日って何曜日？」
「…………」
返事はなかった。
どうやら彼は、もう家に帰ってしまったらしい。
悲しくなってきた。

なので俺は、土曜の夜に爆弾を爆発させた、公園の茂みの中に潜り込んでみた。

そこには三日前の山崎と、三日前の俺がいた。

山崎はパイプ爆弾の周りをコンクリートブロックで包み、時限装置をセットしていた。

「さぁ、あと三分で爆発です。離れてください」

俺と俺と山崎は退避した。

「革命家になりたかったなぁ、しかしそれは叶《かな》わなかった。戦士になりたかったなぁ、しかしそれは叶わなかった。オヤジが死にそうだ。ならば僕は帰るしかない。だれが悪いんでしょうかね？　悪いやつが、どこかにいると思うんですよ。そいつをこの爆弾で、ハリウッド映画並みに爆発させてやりたかったんですよ。だけど、ねぇ？」

背中しか見えないので、そのときの山崎がどんな顔をしていたのか、確かめようがない。

だけど俺にはわかっていた。

「あれ？　もう三分たったのに、爆発しない」

山崎は爆弾の方に歩いていった。

コンクリートブロックを持ち上げようとしたところで、「パン」と音がした。

山崎はこてんとひっくり返った。

俺にはわかっていた。泣いているのだと、わかっていた。

「ぜんぜん、威力がないですよ。頑張って作った爆弾も、爆竹程度の威力です。こんなんじゃあ、ダメです。もう帰ります。それじゃあ、さようなら」

そうして彼は田舎に帰った。

部屋に戻ると、山崎が残していった等身大アニメ人形だけが、俺を待っていた。

彼女は訊いた。

「寂しくないの？」

「寂しくないさ——」

——ぽかぽか明るい日曜日に、俺と彼女はデートしていた。

まるで田舎の中学生並みに、健全なデートを繰り広げていた。

電車に乗って、街に出た。都会だった。

人混みが沢山で、俺たちははぐれそうになる。俺も彼女も、携帯電話を持っていないから、一度はぐれてしまったら、それでおしまい。このような大都会では、二度と再び会うことはない。

——気をつけなければ。

なのに岬ちゃんはふらふらしていた。俺もだいぶんよたついていた。

「どこに行く？」

「どっか」

「お昼ご飯は？」

「さっき一緒に食べたでしょ」

「なら映画とか」

「うん」

映画を観た。素敵なハリウッドアクションだった。人間が爆弾で吹っ飛んでいた。彼はぐるぐると両手を振り回して、高々と宙を舞った。そして死んだ。俺は憧《あこが》れた。

「面白かったね、パンフレット買おうかな」

しかし岬ちゃんは、結局パンフレットを買いはしなかった。千円という定価に打ちのめされているようだった。

「なんであんなに高いのさ！」

「普通、あんなもんだろ」

「へえ、そうなんだ」

知らなかったらしい。

そうして、映画館を出た俺たちは、またもやすっかり途方に暮れた。

「どこに行く？」

「どっか」

「お昼ご飯は？」

「……さっき、食べたでしょ」

俺たちは歩いた。ふらふらふらと歩いていた。

行くあてがない。どうしたものやら、わからない。それは岬ちゃんも同様で、俺たち二人は困っていた。

結局最後にたどり着いたのは、むやみに大きな都会の公園だった。やはり人が沢山いて、真ん中には大きな噴水があって、鳩もいた。

ベンチに座って、ぼんやりした。

夕暮れまで、適当な会話を交わしながら、座っていた。

会話のネタが切れて、落ち着かない沈黙だけが続くようになると、岬ちゃんは鞄《かばん》から秘密ノートを取りだした。

「夢に向かって歩いていこう!」

「もういいよ。……どうにもならない」

「そうゆう悲観的なこと言わない」

「嘘の言葉を信じてみても、結局、やっぱり、どうしようもない」

「あたしは、結構、まともになったよ」

「どこが?」

「……やっぱり、まともに見えなかった?」

「変だよ。ずっと変だった。初めて見たときから、かなりヤバかった」

「……そう」

そうして俺たちは押し黙った。

目の前を、鳩が歩いていた。岬ちゃんは鳩を捕まえようとした。当然の事ながら、鳩は逃げた。何度かその試みを繰り返し、その全てに失敗すると、顔を正面の噴水に向けたまま、岬ちゃんは言った。

「……だけどさ佐藤君」

「ん？」

「あたしと佐藤君、どっちがダメ人間かっていったら、それはきっと、佐藤君の方がダメでしょう？」

俺はまったく同意した。

「だからだよ。だから佐藤君は、あたしのプロジェクトに抜擢《ばってき》されたんだよ」

ようやく彼女は、すべての核心を話してくれる気になったらしかった。

だけども、もはや、何事も、どうにも変化はしないだろう。それが俺の確信だった。なのに岬ちゃんは笑顔だった。見る者をどことなく不安にさせる、だいぶ嘘臭い笑顔を浮かべていた。唇だけをわずかに吊《つ》り上げた、心許《こころもと》ない作り笑いだった。

「まず前提として、あたしみたいな人間を、好きになってくれる人なんか、いるわけないのです」

「……そうなの？」

「生まれたときからそうだったよ。お父さんにもお母さんにも嫌われるぐらいだもん、他の人ならなおさらだよ」

「………………」

「オジサンオバサンに引き取られたけども、やっぱり迷惑、かけてるだけだよ。二人とも、どんどん仲が悪くなってくし、もうすぐ離婚するとか言い出すし。それも全部が、あたしのせいなのです。本当にごめんなさいって思うよ」

「……きっとそれ、考えすぎだよ」

「違うよ。たぶんあたしは、生まれながらにダメ人間で、普通の人なら相手にしない。みんながあたしを嫌いになるよ。みんながあたしのせいで、嫌な気分になるんだよ。その事実はもう、確かな実績で証明されてるんだから」

岬ちゃんは袖《そで》をまくった。

「ほら」

腕を差しだし、俺に見せつけた。真っ白な肌に、痛々しい火傷《やけど》の痕《あと》が、いくつもいくつも残っていた。

「二人目のお父さんだよ。もう顔も覚えてないけどさ。いつもお酒を飲んでたよ。お酒を飲むと機嫌が良くなるけど、機嫌が良くても、あたしはいっつも怒られてたよ。タバコで、じゅっ、と」

　笑顔でニッコリ、そんなことを言うのだ。

「学校にも怖くて行けなかった。そりゃそうだよ。他のみんなと、お喋《しゃべ》りとか、できるわけがないよ。おっかないもん。普通の人なら絶対に、あたしなんかは嫌いになるから」

「宗教の人たちとかは？」

「あの人たちも、立派な人だよ。みんな普通に頑張ってる。相手にしては、もらえません」

「…………」

「だけどねぇ、やっとのことで、あたしよりもダメそうな人を見つけたんだよ。凄《すご》いダメ人間。そこら辺には見あたらない、強力なダメ人間。人の目を見て話せない、人が怖くて仕方がない、社会の最底辺で生きている、あたしでも見下せる人間」

「誰それ？」

「佐藤君」予想通りの言葉だった。

　そうして岬ちゃんは、背中の鞄から一冊の紙切れを取り出し、俺に差し出した。それは二枚目の契約書だった。

……どうするべきか、わからなくなってきた。

もう少しで日が暮れる。公園を歩く人影も、めっきりその数を減らした。

岬ちゃんは、俺にサインペンと朱肉を手渡した。

「拇印《ぼいん》で良いよ」と言った。

「佐藤君なら、あたしを好きになってくれるよね」と言った。

「だってさ、あたしよりもダメ人間だもん。……こうやって長い間、頑張って計略を推し進めてきたんだから、もう、あたしのとりこでしょ？」

「…………」

「優しくしてよ。あたしも優しくするからさ」

「……やっぱり、ダメだよ」

「どうしてさ」

「ムダだよ。おんなじだ。余計に辛《つら》くなるだけだ。それに第一、虚《むな》しすぎる」

俺は立ち上がり、契約書とサインペンと朱肉を突き返した。

元気良く言ってやった。

「岬ちゃんは大丈夫だ！　ぜんぶひとときの気の迷いだ！　乾布摩擦をして、心身を鍛えなさい！　そうしたならば、馬鹿な考えはなくなるぜ！　君みたいな可愛い女の子なら、素敵な人生をゲットだぜ！　下を見るな！　上を見ろ！　大丈夫だ！」

そうして俺は、早足で逃げた。

契約書の文面が、脳裏をぐるぐる渦巻いていた。

ダメで寂しい人間の、相互扶助に関する契約書

佐藤達広を甲とし、中原岬を乙として、両者の間に次のとおり契約する。

1. 甲は乙を、嫌いにならない。
2. つまり、甲は乙を好きになる。
3. ずっと心変わりをしない。
4. いつまでも心を変えない。
5. 寂しいときは、いつも側にいてくれる。
6. といっても、乙が寂しいのはいつものことなので、つまり、甲はいつでも側にいる。
7. そうすれば、たぶん、人生が良い方向に行くと思う。
8. 苦しいことが、なくなると思う。
9. 約束を破ったら、罰金一千万円。

岬ちゃんが訊いた。

「ねえ！　寂しくないの？」

俺は振り返り、大声で答えた。

「寂しくないさ」

「あたしは寂しいよ！」

「俺は寂しくない」

「嘘」

「嘘じゃない。俺は世界最強のひきこもりだ。ひとりでも生きていける。苦しいことなんか、何もない。だから岬ちゃんも、人に頼るのはやめなさい。結局みんな、ひとりなんだ。ひとりでいるのが一番いいんだ。だってそうだろう？　最後は絶対、ひとりになる。ひとりでいるのが自然なことだ。そうしていれば、嫌な事なんてなんにもない。だからひきこもるんだ。六畳一間のアパートに――」

「寂しくないの？」

「寂しくない」

「寂しくないの？」

「寂しくない」

「……嘘をつけ」

誰かが言った。

それは底冷えのする、低く濁った声だった。

俺は背後を振り返った。

そこにいたのは俺だった。

六畳一間の部屋の隅。真っ暗闇に溶け込んだ、体育座りの俺がいた。

時刻は夜。何も見えない何も聞こえない、どうしようもない、夜。

家具のない、何もない、夏なのに冷え切っている、寒気のする、暗黒の、最悪の、閉鎖しきった六畳一間で、頭を抱えて震えている。

俺は言う。

「寂しいんだ」

「寂しくはない」

「嘘をつけ」

「嘘じゃない」

「寂しいなぁ」

「寂しいさ！」

ぶるぶるぶるぶると震えている俺は、ガチガチガチガチ歯を鳴らしていた。部屋の真ん中に立った俺は、その様子を見つめていた。頭が狂ったのかと思った。しかし狂ってはいなかった。

ただひとつだけわかることがある。俺はひとりだった。どうしようもなく孤独だった。この状態は、イヤだった。寂しいのはイヤだった。

「だがしかし!」

俺は叫んだ。

「だがしかし! だからこそだ!」

俺は叫んでいた。

「寂しいのは当たり前だ! 寂しいのが嫌なのも当たり前だ! だからこそ俺は閉じこもる。ひきこもる。長い目で見れば、これが一番の解決方法だって、わかるだろう? なぁわかるだろう?」

答えはない。

「わかるか? 俺の言うことをしっかり聞くんだ。そうすればわかる。誰にだって、手に取るようにわかる。——つまりだ。つまり俺たちは、寂しいからひきこもってるんだ。これ以上、寂しい思いをしたくはないから、ひきこもってるんだ。なぁ、わかるだろう? これが答えなんだ!」

答えは、ない。

「俺は誰よりも欲張りなんだ。中途半端な幸せは欲しくないんだ。ほどほどの温《ぬく》もりなんて、いらないんだ。いつまでも続く幸福が欲しいんだ。しかし、それは無理だ！　なぜかは知らないが、この世の中、かならずどこかで邪魔が入る。大切なモノは、速攻で壊れる。──二十二年も生きてるんだぜ。そのぐらいのことは知ってるさ。どんなものでも壊れるのさ。だから最初から、なんにもいらない方がいい」

そうなのだ。岬ちゃんは、この真理を知っておくべきだったのだ。そうすれば、俺なんかに救いを求めるなどといったバカげた計画を始めたりはしなかったはずだった。しかし彼女は途方もないバカだった。途方もなく巨大な絶望を抱えていた。俺というクズ人間に救いを求めざるを得なかった、その寂しさに、慄然《りつぜん》とした。

俺は彼女の身に降りかかった不幸を呪った。子は親を選べないという不合理を呪った。彼女のような朗らかさんには、健やかに逞《たくま》しく生きていって欲しかった。

だから君は、どこかでしっかり、頑張ってくれ。

俺はいいんだ。一人がいいんだ。

ひとりでいるのが一番なんだ。

ひとりで生きて、ひとりで死ぬ。

だけども、それでも、希望はある。

──希望はあるのさ。

ほら、すぐそこに、淡く優しく輝いている。

それは涙の出る、懐かしくて、切ない、本当のふるさと。

どこまでも続く秋の平原。遥《はる》か昔の遠い思い出。けらけらと笑う少女たちの、ほんのつかのまの永遠の視線。車にひかれた黒猫の安らぎ。

もう、大丈夫だ。

もう、辛《つら》いことも苦しいことも、どこにもない。

「そう。だからもう、あなたは――」

少女が言った。

山崎の置き土産、等身大アニメ人形が俺を見つめていた。

彼女は天使だった。

彼女は見事に動き出し、俺をいざなった。

そうして俺は、彼女と一緒に、どこか遠い別の惑星へと旅だった。

その星は、美しかった。

空は青空。白い雲。

涼やかな風が吹いていた。目の前には春の草原が広がっていた。

その草原の真ん中に、俺と少女の二人がいる。

少女は一輪の真っ白な花をつみ取ると、俺の目の前にかざした。

細い指先で花びらをつまみ——それを引き抜く。

「生」

そしてもう一枚、花びらを抜く。

「死」

花占いなのだ。

「生・死・生・死・生・死・生・死——」

最後の花びらがひらひらと地面に落ちて——

少女は優しく微笑んだ。

十章　ダイブ

1

夏が終わった。生活費が底をついた。

食費もないので、寝て我慢することにした。五時間起きて、十五時間寝る。そのようなスケジュールで暮らしてみた。

最初の三日間は、何も食わなくても別にどうってことはなかった。ちょっと胃がきりきりと痛むぐらいだった。

しかし四日目にもなると、食べ物のことしか考えられなくなった。ラーメンが食いたい。カレーライスも食べたい。意志とは関係なく、体が切実にカロリーを求めていた。その欲求に抗《あらが》うことは不可能らしかった。

そこで絶食五日目に、俺はとうとう外出した。

手元に残っていた数百円で、菓子パンとアルバイト情報誌を購入し、その日のうちから労働を始めることにした。

日雇いの、肉体労働だ。

イベント会場への物資搬入やら、引っ越しの手伝いやら——意外に仕事は上手にこなせた。

たまにミスをして偉い人に殴られることもあったが、しかしそれでも肉体労働は爽《さわ》やかだった。体を酷使すればするほど頭の中は空っぽになった。数年ぶりに、すっきり眠れた。

カードの借金があったので、最初の一ヵ月間は連日連夜働いた。複数の派遣会社に登録し、毎日仕事を入れた。

ある程度生活に余裕ができると、今度は一気に仕事を減らした。一ヵ月の半分だけ働いて、残りの半月をひきこもって暮らすことにした。月収が十万ほどもあれば、結構快適な生活ができるものだった。

できる限り夜勤の仕事を選んで働いた。深夜の交通整理などが最高だった。警備員として登録してもらうには四日間の法定研修を受ける必要があったが、それさえ乗り切ってしまえば、これほどに楽な仕事、他にはない。

深夜、人里はなれた工事現場で、真っ赤に輝く誘導棒をゆらゆらと振る。聞こえるものは、背後で鳴り響く工事機械の駆動音だけ。そして警備員は俺一人。たまに車が通りがかれば、適当に誘導棒を振って「危ないよ、徐行だよ」

仕事中に他人と会話を交わす必要も、ほとんどない。アパートでひきこもっているのと大差ない。何かを考える必要もない。条件反射的にぶらぶらぶらと誘導棒を振るだけだ。夜風はだいぶ凍えるが、これで日給一万円（交通費込み）。働いて、ひきこもって、生活費を稼いで、そしてひきこもる。

そんな生活を続けていた。

驚くほどのスピードで、月日は巡り、巡っていった。

そうするうちに、冬がやってきた。

ひきこもり五年目の冬だった。

今年の冬は、ひたすら冷えた。なぜかというと、コタツをリサイクルショップに売り払っていたからだ。

毛布を頭まで被《かぶ》っても、それでも寒い。ガタガタ震えてしまう。

そこで俺は、引っ越しの際に山崎が残していったノートパソコンを、カイロ代わりに使ってみることにした。

『無印ペンティアム六十六メガヘルツのノートです。荷物になるから捨てようと思ってたけど、せっかくだから佐藤さんにプレゼントしますよ』

そんなことを言って山崎が置いていった旧式のノートパソコンを、腹の上に設置して、おもむろに電源を入れる。耳障りな駆動音と共に、アニメ絵の壁紙が液晶ディスプレイに表示された。旧式の機械なので発熱が凄《すご》い。すぐにぽかぽか温かくなってきた。ついでに眠くなってきた。

だがそのとき、ノートパソコンのデスクトップに、ひとつの見慣れないアイコンが表示されていることに気がついた。

「…………」

どうやらそれは、山崎が作りあげたエロゲーの実行ファイルらしかった。俺はそのファイルにカーソルを合わせ、リターンキーを押した。

ハードディスクがガリガリとうなり始めた。

長い読み込みの末に、ゲームが始まった。

数時間ぶっ続けでプレイしてみた。するとわかった。これはどうしようもないクソゲーだと。

ジャンルはRPG。初代ドラクエの規模を百分の一ほどに縮小した感じの、あまりにチープなRPGだ。もはやエロゲーでもなんでもない。ストーリーも限りなくくだらない。物語を簡単に要約すれば『悪の巨大組織に立ち向かう戦士たちの、愛と青春の旅立ち』といった感じの話になる。平凡な若者が悪と戦う戦士になって、ヒロインを守る——そのような願望充足的シナリオが、プレイヤーを置き去りにして延々と続く。

俺は呆《あき》れた。

まったく、こんなアホらしいシナリオを考えたヤツは誰だ？

「………」

俺だった。

ストーリー原案を書いたのは、俺自身だった。

悲しくなった。せつなくなった。このゲームのシナリオの意味が、手に取るように分かったからだ。

『悪と立ち向かう戦士』

それはまったく、俺たちの願望そのものだった。

悪い組織と戦いたい。悪者と戦いたい。もしも戦争などが勃発《ぼっぱつ》したならば、俺たちは速攻で自衛隊などに入り、神風特攻していただろう。きっとそれは、意味のある生き様で、格好いい死に様である。もしもこの世に悪者がいてくれたのならば、俺たちは戦った。拳《こぶし》を振り上げて戦った。そうに違いない。

しかし悪者はどこにもいない。世の中はいろいろと複雑で、目に見えるような悪者など、存在しない。それが辛《つら》く、そして苦しい。

なればこそのゲームであった。せめてゲームの中だけでも、素晴らしい物語を、シンプルで美しい物語を――

巨大な敵と戦う主人公は、ヒロインに向かって叫ぶのだ。

『君の命はオレが守る！』

そうして彼は自らの命を顧みず、巨大な敵へと立ち向かっていく。

最後の戦いが始まった。

もうすぐエンディングだ。

戦闘コマンドは「攻撃」「防御」「特攻」の三つ。しかしラスボスには、いくら攻撃してもダメージはゼロだ。当然、防御してみたところで、どうにもならない。

ならば特攻、それしかない。己の命を犠牲にして敵に大ダメージを与える、人生最後の必殺技である。ラスボスを倒すには、それしかないのだ。だからこそゲームの主人公は、右手に「革命爆弾」を持って、ラスボスに特攻していくのだ。

だが——最後の最後、主人公がラスボスに特攻を仕掛けたその瞬間。いきなりゲームはフリーズした。

ゲームのウィンドウが閉じ、かわりにテキストエディタが起動。そのエディタには、言い訳がましい山崎の置き手紙が表示されていた。

『悪の巨大組織を倒す方法、それは確かに特攻しかない。自ら死を選んでこそ、勝利を勝ち取れる。なぜならば、悪の巨大組織は、僕たちの世界そのものなのだから。死を選んだ瞬間に、僕たちの世界は消えて無くなる。悪の組織も消えて無くなる。そして平穏が訪れる。——ですがね。それでも僕は、爆弾で自分の頭を吹っ飛ばしませんでしたよ。それが僕の選択です。……いや、決して、エンディングのCGを描くのがめんどくさかったとか、もういい加減、くだらないゲームを作るのに飽きたとか、そーゆーことじゃなくて――』

「………」

俺はノートパソコンを叩《たた》き壊そうとした。

しかしなんとか思いとどまる。

ゲーム製作に励む山崎の必死な姿を見ているだけに、このゲームのチープさが、だいぶずっしりと胃に応《こた》えていた。

――まったく、あいつは今頃どうしてるんだろう？

ふとそんなことが気になったりもしたが、すぐに忘れることにした。あれから一度も音《おと》沙汰《さた》がない。俺も連絡を取ろうとは思わない。

あの頃のバカみたいな日々は、とっくの昔に終わっているのだ。

＊

そうして今年も、クリスマスがやってきた。

街はピカピカ光っていた。俺の右手に握られている誘導棒も、闇夜に赤く、輝いていた。

今夜の仕事は、駅前に新しくオープンしたデパートの、駐車場の交通整理だ。

入り口には完全自動の駐車場マシーンが設置されているので、俺の仕事は暇だった。車が混んできたら機械の補助役を務めてみたりもするが、結局のところ、毎度同じくぶらぶらと誘導棒を振り回すだけのことだった。

事故もなく、何事もなく、きわめて安全にクリスマスの夜は更けていく。

どこか遠くの方で、クリスマスソングが奏でられているようだった。

「…………」

閉店になる一時間ほど前に、一台の車がやってきた。

車自体は、どこにでもある普通の国産車だった。なにも特筆すべきことはない。

だが、助手席に乗っている女の顔を、俺は知っていた。

車内ランプを点けていたので、よく見えた。

俺は何となく、制帽を目深くかぶりなおしてみた。もちろん、その車はなんの滞りもなく俺の目の前を通過していったので、わざわざそんなことをする必要はなかった。

助手席に座る先輩が、一瞬こちらを振り向いたような気がした。

当然それも、錯覚だった。

「…………」

勤務時間が終わった。

俺は制服を着替え、誘導棒とヘルメットを鞄《かばん》に詰めると、終電間際の電車に揺られてアパートに帰った。

途中、コンビニにより、酒などを購入してみた。

クリスマスだから、浮かれてみようと思ったのだ。

アパートへと続く坂道を歩きながらビールを飲んだ。

酒を飲むのは久しぶりだったので、あっという間に酔った。

いくぶんふらついた足取りで、長い坂道をゆっくり歩いた。向こうの方から、救急車のサイレンが響いてきた。俺は二本目のビールを空けた。メリークリスマスだった。

公園の前を横切る頃には、すっかり千鳥足になっていた。

気をつけて歩けば、そんなにふらつくこともないのだったが、せっかくだから酔っぱらいのように歩いてみようと思った。

大きな緩急を付けた足取りで、電柱から電柱へと渡り歩く。石に躓《つまず》き、転びそうになる。よろけ、車道の真ん中に飛び出しそうになり——その俺の鼻先を、猛スピードの救急車が通り過ぎていった。

「…………」

撥《は》ね飛ばされるところだった。

酔っぱらいらしく、大声で文句を言ってやろうと思った。

「このバ……」

途中で口をつぐんだ。

救急車は、岬ちゃんの家の前に停車した。

勢いよく玄関のドアが開き、オジサンが飛び出してきた。彼は救急隊員に向かって、何かを大声でわめいていた。

救急隊員は担架を持って、家の中に駆け込んでいった。

「…………」

しばらくすると、玄関から担架が担ぎ出されてきた。

その担架には、岬ちゃんが横たわっていた。

ぐったりしていた。

救急車は、岬ちゃんの乗った担架とオジサンオバサンを収容すると、またも猛スピードで俺の目の前を疾走していった。

2

大晦日《おおみそか》を目前に控えたある日の午後、町外れにある巨大な総合病院の前庭を、俺はぶらぶらうろついていた。

この病院に、岬ちゃんが入院しているという。

今朝、駅前のマンガ喫茶に赴いた俺は、疲れ切った表情のオジサンから、その情報を聞き出していた。

『……それにしても、すいませんね』

なぜかオジサンは謝っていた。

『もう大丈夫だと思ってたんですけどね。学校を辞めてからは、ずっと落ち着いていたんですけどね。最近なんかは、ずっと楽しそうにしてたんですけどね。その反動なんでしょうかね。……ところであなた、結局岬とどういう関係なんで』

『ちょっとした知り合いです』とだけ答えて、そそくさとマンガ喫茶を退出した俺は、その足でまっすぐこの病院にやって来たのだったが――

もう二時間近く、俺はひたすら前庭をうろついていた。正門から正面入り口に続く歩道を、散歩中の入院患者や見舞客に交じって、行きつ戻りつ歩いていた。

この病院の四階に、精神科の開放病棟があるという。岬ちゃんはそこの個室に入院しているという。

睡眠薬のたぐいをがぶ飲みしたそうだ。致死量ギリギリだったそうだ。もう少しで手遅れになるところだったそうだ。

なぜ岬ちゃんが睡眠薬などを持っていたのか、それは不明だ。

おそらくは、近所の精神科などから手に入れたものなのだろう。しかし、長い時間をかけて通院しなければ、致死量まで貯め込むことなど不可能だ。

となると、これは明らかに計画的犯行なのだった。岬ちゃんは、ずっと前から死ぬつもりだったのだ。

そんな女の目の前に俺がのこのこ現れて、それで一体どうするつもりだ？

どうにもならない。

「死ぬんじゃない！」とか、そんなことを言ってみればいいのだろうか？

「明日があるさ！」とか、そんなことを叫んでみればいいのだろうか？

そんなセリフなら、岬ちゃんの秘密ノートにいくらでも書き込まれている。しかしそれらの言葉は、決して岬ちゃんを救いはしなかった。だからこそ彼女は、薬百錠一気飲みにトライした。

つまり、俺にできることなど何もない。むしろ顔を見せない方がいい。社会の底辺に生きるひきこもり人間などに見舞いされたら、よけいに虚しくなるだろう。

というわけで、俺はアパートに帰ることにした。

が、正門まで来たところで、足を止めた。

「…………」

もう一度、正面玄関へと引き返す。

思考がループしていた。

このままでは、夜までぐるぐる歩き続けてしまいそうだ。

「………」

埒《らち》が明かない。

俺は勇気を出して、病院内に飛び込んだ。

受付で「面会バッジ」をもらい、そのバッジを胸につけて、四階へと続く階段を上る。

四階全体が、精神科の開放病棟として使われているらしい。

そこは一見、普通の病院となんら変わるところがないように見えた。精神病院と言えば、「ロボトミー」とか「拘束服」とか「電気ショック」等々の薄暗いイメージを連想してしまいがちだが、ここはさすがに開放病棟だけあって、実に清潔で雰囲気も明るい。

——と思ったら、廊下の隅に、六十歳ぐらいのオバサンがへたり込んでいた。入院患者らしい。

「………」

俺は足早に401号室を目指した。

廊下の一番隅に、その個室はあった。

ドアには名札が貼られていた。

中原岬

間違いない。この部屋だ。

俺は小さくノックした。

返事はない。

もう一度、今度は少しだけ強くノックしてみた。

やはり返事はなかったが、ノックの勢いでドアが開いた。もとから半開きだったらしい。

「……岬ちゃん？」

隙間から室内を覗《のぞ》く。

いない。

いないのなら、仕方がない。帰ろう。

「…………」

だけどせっかくだから、途中の売店で買ってきた果物詰め合わせパックを置いていくことにする。

ベッドの脇に設置されている小物棚の上には、なぜか電車の時刻表が開かれていた。赤いボールペンで、ところどころ印が付けられていた。俺はその分厚い時刻表をどけて、果物パックを置いた。

すると、一枚の紙切れが床に落ちた。

俺はその紙切れを拾い上げ、読んだ。

『三日とろろ、おいしゅうございました。だから皆さん、さようなら』

「…………」

俺はその紙切れと時刻表をコートのポケットに突っ込むと、病院を抜け出した。

駅へと向かう。

日は暮れかけていた。

＊

自由に出入りできる開放病棟ではなく、窓に鉄格子のはまった閉鎖病棟に入れておくべきだったのだ。きつい拘束服を着せておくべきだったのだ。幸せになるクスリを大量に飲ませてやるべきだったのだ。そうしなかったために、岬ちゃんは出発してしまった。生まれ故郷に旅だった。それはおそらく死出の旅だ。

いつかの会話を思い出す。

『……円谷選手、死ぬ間際に故郷に帰ったんだってさ。そうして、お父さんお母さんと一緒に、とろろいもを食べたんだって』

『やっぱりみんな、死んじゃう前には故郷に帰りたくなるみたいだね』

そうなのだろう。岬ちゃんも、故郷に帰りたくなったのだろう。小さい頃によく遊んでいたという断崖《だんがい》絶壁の高い岬から、海に向かってダイブするつもりなのだろう。

しかし、そうは問屋がおろさないのだった。俺に遺書と時刻表を発見されてしまったのが、岬ちゃんの運の尽きだ。

時刻表につけられた印を見る限りでは、岬ちゃんが電車に乗り込んだのは、ほんの一時間ほど前のことだ。今から追いかければ、充分に間に合う。目的地もわかっているし、なにせこっちには金がある。タクシーを有効活用すれば、岬ちゃんより早く目的地に到着できる可能性もある。なにも焦ることはない。

俺は夜行列車の中で、途中の本屋で買い込んできた地図を広げた。

岬ちゃんが小さい頃によく遊んでいたという、例の岬を探す。

——あった。これだ。

彼女の故郷に岬と名付けられた地名は、ひとつしか存在していなかった。だからここで間違いない。

おそらく岬ちゃんは、俺よりも一本だけ早い列車に乗り込んで、今もゴトゴト揺られているのだろう。年末の帰省客に交じって、生まれ故郷を目指しているのだろう。自殺名所の岬を目指しているのだろう。だけど彼女は知らないのだ。俺の尾行を知らないのだ。逃がしはしない。

俺は間違いなく岬ちゃんを捕まえる。その点に関しては、心配ない。おそらく大丈夫だ。

問題は、しかし別のところにある。

岬ちゃんを発見した俺は、そのとき何を言うのだろう?

「…………」

俺はほんの少しだけ、彼女の苦悩を知っている。俺が知っているのは、その苦しみのごくごく上辺だけだが、それでも俺には、なんとなくわかる。

彼女はもう、どうしようもない。彼女の苦しみは、一生消えない。

だけどもそれは、当たり前のことなのだ。岬ちゃんの苦しみは、おそらく人類の共通事項。ありふれた苦悩なのだ。

誰しもが似たようなことで悩んでいる。ついでに俺も、悩んでいる。

生きていても、どうしようもない。

苦しいだけだ。

それを知りつつ、ダイブを止めるのか? 止める権利があるものなのか?

……もちろん、まともな社会人であるからには「それでも生きろ!」とか「泣き言言うな!」とか、そんな感じの適当なことを言ってやるべきなのだろう。それはわかっている。

わかっているのだが――

＊

いろいろなことをつらつらと考えているうちに、列車は目的地に到着した。

駅から出ると、そこは寂れた地方都市だった。

すでに深夜ということもあるが、駅前の商店街は、まるでゴーストタウンのように静まりかえっていた。道を歩く人影もない。

それに、ひたすらに寒い。

雪が降っているのだ。

日本海に面しているだけあって、ちょっとした豪雪地帯だ。

俺はコートの襟元を締め、一台だけ停まっているタクシーに向かった。

タクシーの運転手は、客の到来に驚いているようだった。居眠りしていたらしい。初老の彼は、慌てた様子で目元を拭《ぬぐ》った。

俺は暖かい車内に乗り込むと、地図を指し示して目的地を告げた。

「…………」

運転手は「本気ですか？」という顔で俺を見た。

俺はうなずいた。

チェーンをガリガリとうならせて、タクシーは発進した。

「……だけどお客さん、こんな夜更けに、なんでまたあんな所に」

「観光です。急いでください」

数十分ほどで、タクシーは海沿いの坂道に出た。

そのまま急な坂道を昇っていく。右手には真っ黒な海が広がっていた。

坂道を昇りきったところで、タクシーは停車した。

「……確かに観光名所って事になってますけどね、こんな所、なんにもないですよ」

申し訳なさそうに運転手は言った。

俺は運賃を支払い、タクシーから降りた。

「……まさかあんた――いや、今はもう工事が終わってるから大丈夫ですかね」

そうしてタクシーは走り去っていった。

俺は周囲を見回した。

本当に、なんにもないところだった。というか、真っ暗でよく見渡せない。

右手の方に海があるので、その方向に向かえば崖《がけ》があるはずなのだが――あたりを照らすものは、まばらな街灯だけだ。大変に心細い。

ともかく俺は車道を渡り、ガードレールの切れ目から、雪の積もった小道へと進入した。

この道の向こうに岬ちゃんがいる、そのはずだった。

足首まで積もった雪を踏み分けて、俺は歩く。左右を藪《やぶ》で覆われた小道を、滑って転ばないように気をつけながら歩く。一歩進むごとに、周囲の闇が深くなる。

もはや街灯の明かりは届かない。ほとんど何も見えない。しかし、藪は開けた。小道は終わった。目の前に広がっているのは真っ暗な空と、日本海だ。そう。ここは岬の先端部。

暗くてよく見えないが、十メートルほど向こうには崖がある。とうとう着いたのだ。目的地に到着した！

「…………」

しかし、岬ちゃんは？

俺は周りを見渡した。

何も見えない。

夜空には大きな満月が昇っているものの、闇に目が慣れていないので、ものの輪郭しか判別できない。が……どうやらどこにも人影はない。それだけはわかった。

――どういうことなのか？　俺が先に到着してしまったのか。もしくは、岬ちゃんがどこかで寄り道しているのか。それとももしや――

「…………」

心臓が、いきなり激しく脈打ち始めた。

ぞっとした。

……いやいや、まさか。

俺が到着する前にダイブしてしまったとか、そんな結末はないだろう。

もうすぐ来るさ。

もうすぐ岬ちゃんは、そこの小道を歩いてくるさ。

俺は後ずさり、海に向かって設置されている、ペンキの剝《は》げたベンチに腰を下ろした。

そうして、顔を小道に向けたまま、岬ちゃんを待った。

しかし、一時間が経過した。

岬ちゃんは来なかった。

一向に、小道を抜けてくる気配はなかった。

俺は頭を抱えた。

知らず知らずのうちに、独り言が漏れていた。

「……どうして」

「何が？」

「……俺の到着が遅かったのか？」

「そんなことないよ」

「しかし岬ちゃんは——」

「あたしとたったの五分違いだったよ。探偵になれるかもね」

「…………」

俺は右方向にゆっくりと顔を向けた。

そこにいたのは岬ちゃんだった。

闇夜に溶け込む黒いコートを着て、ベンチの端に座っていた。

岬ちゃんは言った。

「ようやく口を開いてくれた。ずっと何も言わないから困ったよ」

3

むらむらと激しい怒りがこみ上げてきた。バカにされているような気がしてきた。その感情をぐっと抑えつけ、できる限りの優しい声音で口を開いた。

「さぁ、帰ろうか！　寒いしね！」

「イヤです」

イヤですじゃねえだろ！　この、くそ、バカにすんのもいい加減に——

そう思いっきり罵倒《ばとう》しそうになったが、俺はその衝動をなんとか堪《こら》え、昔に読んだ『自害の心理学』という本を思い出してみた。

『自殺を試みる人間は、本当は誰かに助けてもらいたがっているのです。誰かに話を聞いてもらいたいのです。できるかぎり神妙に、なおかつ否定的意見を唱えることなく、優しい態度で話を聞いてあげましょう』等々といった内容が、その本には書かれていた。

『神妙に』

『否定的意見を唱えることなく』

『優しい態度で』

というのがキーワードらしい。

俺は襟元をただし、岬ちゃんに向き合った。神妙な態度の証明だ。

そして言う。

「死んじゃダメだ。生きていこう」

岬ちゃんは微笑んだ。それは嘲笑《ちょうしょう》だった。

俺がどれだけ苦労してここまで来たのか、それをしっかり思い知らせてやりたくなったが、当然それも我慢する。優しい声色で訊《き》く。

「どうして急に自殺なんか？」

「別に佐藤君のせいじゃないよ」

「そんなことはわかってる。だから――」

「生きていくのに疲れました」

「……もっと具体的にさ」

「全部がイヤになりました。生きてても仕方がありません」

微笑みながら、そんな抽象的語句を唱える女だった。

――やっぱりバカにされているのだろうか？

「うん、そうだよ。だっていまさら佐藤君に助けてもらおうとは思わないよ。しょせん佐藤君はひきこもりだし」

　頭に血が上った。

「なら死ね！」

「うん死ぬ」

「うそ！　嘘です。死ぬな、死んだら地獄に——」

「そんなにあたふたしなくてもいいよ。そもそもね、ホントだったらもう死んでるんだよ、一年かけて集めたクスリを一気飲み。オジサンに見つかってなきゃ成功してたよ。……だからもう、佐藤君が何したって、あたしはそろそろ死ぬんだから」

　互いの顔も見えないほどに真っ暗な冬の岬で、死ぬだの死なないだの、どこまでも浮世離れした会話を続ける俺たちだった。

　すでに時刻は深夜零時を回っている。

　寒い。

　岬ちゃんはカチカチと歯を鳴らしていた。

「どっちにしても、死ぬんだよ」

　完全に開き直っているようだった。

「止められるものなら止めてみせてよ、どうせ無理だけどね」

　もはや、自殺に対する社会通念は通用しないらしい。何の恥じらいも見せずに、これから死ぬことをアピールしていた。俺は反撃した。

「……そんなこと言って、ホントは岬ちゃん、もう死ぬ気なんてないんじゃないの？」

するとみ岬ちゃんは、コートのポケットに手を入れて、何やら金属製の物体を取り出した。

「ここに一本のカッターナイフがあります」

チキチキチキッと一気にカッターの刃を伸ばし、宣言した。

「このカッターで、さくっとあたしの右手首を――」

「危ない！」俺は岬ちゃんの手を捕まえようとした。

「近寄らないでよ！」岬ちゃんは素早くベンチから立ち上がり、俺の手から逃れた。

「もう、どうしていいのかわかんないんだから。きっと頭がおかしくなってるんだから。近寄ったら、たぶん刺しちゃうよ！」

そう叫ぶと、カッターを持った右手を前方に伸ばして、左手を背中に回し――フェンシングの構えのような格好をした。

「……なにそれ？」

「この前図書館で、『ザ・殺人術』って本を読んで覚えたんだけど。……シチリアマフィアのナイフ格闘術」

「………」

岬ちゃんは俺から数メートルの間合いをとって、威嚇のつもりか、カッターをひゅんひゆんと振り回した。

「呆《あき》れてるでしょ？　せっかく助けに来てくれたのに、なんておかしな奴だって、呆れてるでしょう？　だけどね、しょうがないんだよ。……きっと佐藤君は、アレでしょう？こう、自殺しそうな頭の弱い女の子を、格好良く助けてやろうとか、そうゆうことを考えてたんでしょう？　でも、無理です。無理だからね！」

月を背負った岬ちゃんの姿は、まったくもって、よく見えなかった。どんな表情を浮かべているのかもわからなかった。だが——冗談のようで、冗談ではない。それは確かなようだった。

だから俺は言った。真顔で。

「……俺が岬ちゃんのことを心底好きだとか、そんなことを言ってみたら、どうする？」

「どうもしないよ。もうおしまい。だって、佐藤君なんて、しょせんひきこもりだし。すぐに気が変わったりしそうだし。それにホントは、あたしのことなんて、ぜんぜん好きじゃあないんでしょう？　誰かが、頭からつま先まであたしのモノになってくれなきゃ、あたしは死んじゃう方がいい。というわけで、あたしの欲求は、どんな人間にだって叶《かな》えることは出来ません。あたしはそれを、知ったのです。だからつまりどっちみち、あたしはさっぱり死ぬべきで——」

「好きだ！　愛してる！　死なないでくれ！」

「ははは、面白いこというね佐藤君。でもダメだよ。死ぬんだから！」

なんとなく、少女漫画チックなセリフを応酬する俺たちだった。

しかしその一方で、好きとか、嫌いとか、そのような言葉は、たぶんどうでもいいことだと知っていた。たぶん問題はもっと深くて根本的なところにあるのだった。そのことを俺は、なんとかして説明してやるべきなのだった。言葉に出して、岬ちゃんに教えてやるべきなのだった。なのにどんな言葉も、あっという間にするするとすり抜けていくだけだった。口に出した瞬間に意味を失ってしまうのだった。

わからなかった。

どうすればいいのか。俺は何がしたかったのか。俺は何を考えていたのか――

別に死んだっていいじゃないか。そうも思う。

おんなじことだ。早いか遅いかの違いだけだ。どうせこのさき生きていても、苦しいことばかりで、大変だ。意味がない。生きている意味がない。死ぬ方が良い。それはどこまでも論理的な結論で、誰にも反論できるわけがない。

少なくとも俺には、反論できない。自殺を思いとどまらせる役目としては、俺ほど不適当な人間、きっと他には存在しない。

「……だけどダメだぜ」俺は無茶なことを言っていた。

「死ぬとか言うな」俺は嘘臭いセリフを喋《しゃべ》っていた。

ぶんぶんとカッターナイフを振り回す岬ちゃんに、勢いにまかせて、一歩、近づく。岬ちゃんは後ずさった。俺は構わず前進し、無造作に右手を伸ばした。

岬ちゃんの体に触れる前に、カッターの刃が俺の手のひらを切り裂いた。

一拍置いて、血が流れた。

雪に染みた。

痛くはあったが、その痛みは、しかし素敵だった。

岬ちゃんは、血の付いたカッターをぼんやりとした表情で眺めていた。

俺は笑ってみせた。

岬ちゃんは泣きそうな顔をした。

風が吹き、粉雪が舞い上がった。


そうして俺は、とうとう理解した。

何を為《な》すべきなのか、それを悟った。

この女を生かす。

この女を、救う。

——だけど、どうやって？

俺のようなひきこもり人間に、他人をどうこうできるだけの力があるものなのか？　そんなのは、無理じゃないか？　身の程を知った方が良いんじゃないか？　どうなのか？

「………」

だが、どこかに見事な解決策が存在している。そんな気配があった。なにもかもがうまく解決する、そんなやり方があるはずだった。俺の望み、岬ちゃんの願い、そのすべてが叶えられる、そんな方法があるはずだった。俺はそれを知っているはずだった。

彼女の苦しみを消す。ニコニコ朗らかに暮らしていけるようにしてやる。明日への活力をプレゼントし、生きる力をくれてやる。

その方法、そのやり方。俺は、それを、知っているはずなのだ。

——いつだったか、この女は言った。

『悪い神様がいるんなら、逆にあたしたちは健やかに生きていけるよ。神様に不幸の責任を押しつけられれば、逆にその分あたしたちは、すっかり安心できるでしょ？』

『……神様を信じられたら、幸せになれるよ。神様は悪いやつだけど、それでもきっと、幸せになれるよ』

『問題は、あたしの想像力が貧困で、うまく神様を信じ込むことができないってことです。——ほら、聖書か何かみたく、目の前で凄《すご》く派手な奇跡とかを起こしてくれればいいのにね』

彼女は、神様を信じたがっていた。だけど、彼女の神様は悪者だった。悪の元凶だった。

そんな悪者の存在を信じ込めたら、岬ちゃんは生きていけると言う。悪者の存在を示す奇跡が目の前で起こってくれたのなら、彼女は生きていけると言う。

「………」

だったら俺が、君の願いを叶えてやろう。

その方法——それは限りなく、難しく、大変で、大きな犠牲をともなうだろう。しかしそれこそが俺の望み。我が身を犠牲にしてヒロインを助ける、それは最高に主人公らしい振る舞いだ。

あぁ、山崎に自慢してやりたい。

俺は今こそ生きている。愉快に命を燃やしている。生きている実感がある。そう胸を張って自慢してやりたい。

そうだぜ。よくよく考えてみれば、これはだいぶドラマティックな夜だ。ナイフを振り回す女、その女の自殺を思いとどまらせようとする俺。かなり感動的だ。

だからもうすぐ言葉が溢《あふ》れてくるはずだ。このような状況ならば、俺にも素敵な一言が言えるはずだ。だけど岬ちゃんは震えていた。俺もおそらく震えていた。恐怖があった。

俺は勇気を出した。

脳裏をよぎっていくのは、二十二年間の思い出だ。きっと俺の人生は、今この時のために存在していたのだと思う。この女をなんとかして生かしてやる。それが俺の使命なのだろうと思う。そうでなければ意味がない。生きてきた意味がない。生きて死ぬ、その意味がない。だからこそ俺は理解する。いま、全てを理解する。何もかもを知り、何もかもが繋《つな》がる。

脅《おび》えて震える岬ちゃん、彼女を助けるのだ。命に代えて、助けるのだ。そのようなシチュエーションこそが、俺の望みだったはずなのだ。エンディングへのフラグは、いまやすべてが完了済みなのだ。エンディングに向けての俺のセリフ、ただそれのみによって、このシーンは動き出すのだ。だからこそ俺は立ち上がり、立ち向かうのだ。そして岬ちゃんは生きる意味を見つけるのだ。ハッピーエンドだ。だけど怖い。助けてくれ——

「…………」

それでも俺は、勇気を出す。

震える岬ちゃんを抱きしめる。

「……岬ちゃんは悪くないんだ」

力一杯抱きしめて、耳元でささやく。

「岬ちゃんは、ちっとも悪くない。なにひとつ、悪くない」

岬ちゃんは細い。痩《や》せている。ぶるぶると震え、俺にしがみついている。その俺たちを、真っ暗な夜が取り囲んでいる。

風の強い夜だ。雪のちらつく夜だ。孤独が深まり、やりきれない夜だ。

どうしてこんなに悲しいんだろう？　どうしてこんなに寂しいんだろう？　その理由が君にはわかるか？

——あぁ、俺にはわかるぞ。もうすぐお別れするからだ。もうすぐサヨナラするからだ。だから俺たちは震えているのだ。いつでも孤独なんだ。いつでも寂しいんだ。だけどもそれは、いつものことだ。当たり前のことだ。誰だって同じだ。だから自分を恨むな。自分を憎むな。憎むべき対象は、他にいる。それを知るんだ。

「……そうさ。悪いやつは他にいる。岬ちゃんを苦しめているヤツは、他にいるんだ」

君が悲しむ必要はない。まったくもって、その必要はない。

どうして悲しむ必要がある？

もしも君が、いつでも苦しくて寂しくてやりきれないとしたら、それは不条理だ。おかしいじゃないか。そんな話は変じゃないか。

だから、どこかに元凶が存在しているんだ。君を苦しめている悪者がいるんだ。

だから——だからだ。

「だから、この世の中には『陰謀』が存在しているんだよ」

しかし、他人の口からまことしやかに語られる陰謀は、九十九パーセント以上の確率で、ただの妄想、もしくは意図的な大嘘にすぎないんだよ。本屋に行けばよく目にする「日本経済をダメにしたユダヤの大陰謀！」「宇宙人との密約を隠すＣＩＡの超陰謀！」などという本も、すべてはつまらない単なる妄想なんだよ。

「だけど、それでも、ごくごくまれな確率で、本物の『陰謀』を悟ってしまった人間が存在するんだよ。今この瞬間にも水面下で進行中の陰謀を、この目で目撃してしまった人間がいるんだよ！」

それは誰だ？

俺だ。

ならば敵の名は？

俺はその名を知っている。ずっと前から知っている。

俺たちを苦しめる悪の組織、岬ちゃんがその存在を請い願う、悪い神様。

ヤツの名は……

ＮＨＫ。

そうなのだった。いまこそすべてを思い出した。敵の名前。自分の使命。自分の存在理由。今まで生きてきたそのワケ。ぐずぐずぐずぐずと虚《むな》しく馬鹿らしい毎日を送ってきた、その意味。——そうさ。俺の一生は、君を救うためだけに存在したんだ。それはたぶん本当のことなんだ。ぜんぶ本当なんだ！　だから聞いてくれ！

岬ちゃんを逃がさぬように抱きしめたまま、懇切丁寧に早口で説明してやる。

「いいかい岬ちゃん、この世には悪い組織が存在する。奴らの名はＮＨＫ。ＮＨＫは巨大な組織だ。全世界を覆い尽くす、悪の秘密結社だ。奴らが俺たちを苦しめている。悪いのは全部NHKだ。もしもこの先、君の周りに悪いことが起きたとしても、それはぜんぶNHKのせいなんだ。全部NHKが悪いんだ！……もっともNHKという名前は、あくまで便宜的なものだ。名前なんて、どうでもいい。NHKって名前が気に入らなかったら、好きに呼べばいい。なんだったらサタンでもいいぞ。悪い神様でもいいぞ。おんなじことだ」

そう、名前はどうでもいい。単なる語呂《ごろ》合わせなんだ。自分を苦しめている仮想敵。それがNHKの本質だ。

NHK——たとえばあの先輩の場合なら、それは「日本ひ弱協会」を意味する。あの人は、いつもひ弱で参っていた。精神肉体、ともにひ弱だった。リストカットはやめてくれ。なんとか幸せになってくれ。

そして岬ちゃんの場合なら、NHKは「日本悲観協会」を意味している。岬ちゃんは、生まれながらの不幸によって、なんでも悲観的に考えてしまう。生きていてごめんなさい。だけど嫌わないで。そんな感じで、いつも悲観的だ。

そうして俺のNHKは——

「俺がひきこもりになったのも、実はNHKのせいだ。岬ちゃんが苦しんでいるのも、奴らのせいだ。それが真実だ。俺はとあるルートから、その真理を教えて貰《もら》ったんだ。そうして俺は、奴らと戦っていた。ずっと奴らと戦っていた。……だけどな、もうダメだ。奴らの魔手が、とうとう俺を捕まえた。俺はもうすぐ奴らに殺される。だけど岬ちゃんは大丈夫だ。君は元気に生きていくんだ」

岬ちゃんは、わけのわからないことを口走る俺に、明らかに脅えている。

俺は岬ちゃんを解放し、一歩、後退する。

これから奇跡を見せてやる。NHKの存在を証明する、最高の奇跡を見せてやる。NHKと戦う戦士、その雄々しい姿を見せてやる。俺がNHKを倒してやる。

そうしたならば、岬ちゃんは俺の話を信じるだろう。そうしてニコニコ生きていくだろう。自分を憎むことはやめるだろう。悲観的なその性格が改善されるだろう。

ついでに、そうだ。変わらぬ愛とかも、くれてやろう。君は恐れていた。他人に嫌われることを恐れていた。他人の心が変わることを恐れていた。だけども、もう大丈夫だ。俺の心は変わらない。君が好きだ。その気持ちは、もはや決して、変わることがない。

なぜならば――

「うあああああ！　もうダメだ！　NHKの精神攻撃だ！」俺は大げさに頭を抱えて、岬ちゃんの目の前で雪の上をゴロゴロ転がった。

「俺の頭がおかしくなってるように見えるか？　だとしたら、それも含めてNHKのせいだ。俺はもうすぐ殺される！　NHKに殺される！　だけど一矢報いてやるぞ！　見ていろよ！」

そうして俺は、起きあがり、一目散に、ダッシュする。

崖《がけ》っぷち目がけて走り出す。

最初はゆっくりと。

「さようなら岬ちゃん！　足が勝手に動くんだ。俺はＮＨＫに殺される。だけど、死ぬ間際に、なんとかＮＨＫに一矢報いてやる。ＮＨＫを倒してやる！」

しだいにスピードを上げていく。

「そうさ！　ＮＨＫを倒すには、命を捨てての特攻しかないんだ。命を燃やして特攻するしかないんだ。だからこそ俺は行くぞ。——君の命は俺が守る！」

いまや全速力だ。

力の限り、夜の空へと駆け抜けるのだ。崖っぷちまではもうすぐなのだ。

あぁ、飛び込んでやるぞ。ダイブしてやるぞ。特攻してやるぞ。

この俺の、あまりにアホらしい最後によって、岬ちゃんは悪の組織を信じ込むだろう。

俺の特攻によって、悪の組織の消滅を思い知るだろう。それは彼女に幸福をもたらすだろう。

それでも岬ちゃんは、なにひとつとして罪悪感を覚える必要はない。

なぜならば、これはすべて俺自身の願望なのだから。俺はずっと死ぬつもりだったのだから。

自分の目的を叶《かな》え、岬ちゃんを救う。これこそが一石二鳥の冴《さ》えたやりかたなのだ。死ぬつもりだったのは、俺の方だ。ずっとずっと、死ぬつもりだった。餓死してみようかと思ったことさえあった。けれどもそれは無理だった。俺のような意志の弱い人間には、断食なんか、耐えられなかった。四日で限界だった。だから俺は飯代と部屋代を稼ぐために働いた。それは死ぬ前の一働きだった。死に場所を探していたんだ。つまるところ、君よりも俺の方が、頭のおかしい人間だったってことだ。俺の方がずっと、精神が異常な人間だったってことだ。だって、そうでもなければ、こんなふうな行動をとったりはしないだろう？

だから岬ちゃん、俺を見下しつつ、その一方で、俺の愛だかなんだかを受け取ってくれ。もうすぐ俺は死ぬ。しかし岬ちゃんは生きていくんだ。

ＮＨＫは俺が倒してやる。悪の組織は、俺がやっつけてやる。その事実を信じてくれ。そうすれば生きていける。岬ちゃんは生きていける。

だから君は、俺の特攻を目に焼き付けるんだ。

——ほら、見えているか？　俺の右手で淡く輝く革命爆弾が、君には見えているか？

山崎が使用をためらった革命爆弾だ。悪者を倒すための地球破壊爆弾だ。その威力はとても弱々しくて、ＮＨＫを爆散するにはあまりにもひ弱だ。しかし、このちっぽけで惨めでくだらない生き物、つまり俺、俺の息の根を止めるには充分に強力で、俺が死んだら俺のNHKも消滅する。なぜならば、NHKは神様だ。そして世界だ。俺の死によって、俺の世界は消滅するのだ。NHKは消えて無くなるのだ。

だからこそ。

だからこそ俺は、幻想の革命爆弾と共に、いまこそ雄々しく特攻するのだ。

俺は死ぬ。

もうすぐ崖からダイブする。

背後で岬ちゃんが何かを大声で叫んでいたが、しかしその声も、もはや俺には届かない。

誰にも俺は、止められない。

あぁ、最高なんだ。

風を切って駆けぬける俺の姿。

あぁ、良い気分だ。

闇夜の岬をひた走る、この爽快《そうかい》感。

だが、恐ろしい。

死にたくない。

だけど、生きていてもしょうがない。

生きたくないんだ。

俺はもうすぐ死ぬ。

残すところ崖っぷちまで数メートル。あとほんの一瞬、あと一回俺の心臓が脈動したそのとき。俺は大空へと飛翔《ひしょう》する。

あと数歩だ。

力一杯に腕を振り、大きく右足を踏み出して——そうして俺は、ダイブする。はじめて俺は、脱出する。六畳一間を抜け出して、どこまでもどこまでも高く舞い上がり、広大な大空へと脱出する。ジャンプする。飛翔する。

あぁ、もうすぐだ。

もうすぐ飛ぶぜ。

走り幅跳びの要領で、日本海へと飛び込むぜ。飛び出すぜ。

飛ぶぞ。

飛んだぞ。

俺は飛んだぞ!

すでに両足は地面から離れている。

俺の体は空に浮いている。

あと数瞬。もうすぐ俺の体は落下する。

落下し、日本海に叩《たた》きつけられる。

エンディングはもうすぐだ。

山崎が作ったエロゲーそのままに、俺はNHKへと特攻する。ヒロインを守るために、最後の戦いへと突入する。あのゲームシナリオが、俺の願望だった。その願望そのままに、俺は死ぬ。そしてそれこそが最高のハッピーエンド。

もうすぐ俺は、救われる——

＊

——しかしそのとき。

俺はふと気がかりなことに思い当たった。あのゲームのエンディング。それがどうしても思い出せない。あのゲームの主人公は、悪の組織に勝てたのだったか？　そもそもエンディングは存在したのだったか？

『勝てるわけがない』と、誰かが言った。

それは夢だったのかもしれない。

俺はもう、とっくの昔に気を失っているのかもしれない。

しかし、宙を舞う俺の眼前には、真っ黒な日本海と鮮やかな星空が広がっていた。

そうして俺は、奴らを見た。

奴らは俺を、嘲笑《あざわら》っていた。

もうすぐ俺の体は落下する。もうすぐ俺は死ぬ。そのはずだ。

それなのに――

『思い出せ』と、奴らが言った。

――あまりにも落下事故が多いこの岬、すでに対策工事は完了している。

革命爆弾は消えていた。不発だった。

俺は絶叫した。

「それがお前らのやり口ってわけか！　卑怯《ひきょう》じゃないか！」

答えは返ってこなかった。

終章　NHKにようこそ！

春になった。

俺はやっぱりひきこもっていた。

——なぜだ！　どうして俺はひきこもっているんだ！　いい加減にしろ！　真面目に働け！

などなどと、自分に怒りをぶつけてみたりもするが、当然の事ながら、そうそう簡単にひきこもりから脱出できるわけもない。

迫り来る神経症に、じわじわと忍び寄る自殺願望に、その他諸々《もろもろ》の困った物事（家賃が値上がりしたこと、行きつけのコンビニが閉店したこと）に、俺は今でも悶々《もんもん》としていた。

あぁ、そのうえ明日は警備のバイトだ。ひたすらにめんどくさい。

鬱々《うつうつ》と思い悩んでしまう。

それなのに、窓の外は桜が満開だ。大学の新入生なんかが、アパートの前を颯爽《さっそう》と歩いていた。全世界から見放されたような気がした。全人類からバカにされているような気がした。

「…………」

たとえば山崎なんかは、この前葉書をくれた。その葉書には写真がプリントされていた。美人な婦女子と、満面の笑みを湛《たた》えた山崎が写っていた。

『いやあ、僕、もしかしてそろそろ結婚するかもしれません。前々から親が見合いしろ見合いしろってうるさくて（田舎は結婚が早いんです）それでしょうがないから、一度だけ思い切って見合いしてみたら、それがもう！　ビンゴですよ！』

最近はエロゲー愛好家のロリコンでも、人並みの幸せを享受できる時代になったらしい。

死ね。地獄に堕《お》ちろ。

ついでに例の先輩からも年賀状が来た。

『マイホームはすごい豪邸です。ラブラブです。もうすぐ赤ちゃんが生まれます』

マジで幸せらしい。

くそっ。地獄に堕ちろ。

さらに岬ちゃんも、いままさに人生上昇傾向だった。

オジサンの家に帰ってきた岬ちゃんは、当然の事ながら死ぬほど怒られて、海よりも深く反省したらしい。いつだったか、俺に相談話をもちかけてきた。

『どうしたらちゃんと謝れると思う？』

『元気に暮らしてれば、それでいいんじゃないの？』

『自分でも信じられないくらいに迷惑かけたんだから、それだけじゃ済まないでしょう。

もっと、こう、本当に、誠心誠意の感謝と謝罪を示すには』

『オジサン、結構金持ちなんでしょ。だったら勉強して、大学でも行ってみれば？　そういや大検、受かったんでしょ？』

俺は深く考えずに適当なアドバイスをしてやった。すると数カ月後に、そのアドバイスは現実のものとなった。なんと彼女は、今年の春から大学生になるという。確かにあの大学、俺でも合格できるぐらいの偏差値なのだったから、それほど驚くことでもないのだが
——

しかし、いまやあの女は大学生。一方俺は、フリーター兼ひきこもり。

あぁ、もうダメだ。

みんな地獄に堕ちろ！

「…………」

だが——人を呪う者は、穴が二つになるという。そこで俺は、無理矢理なんとか気分を立て直し、皆の幸せを願ってみた。

「……あんたたち、たとえ地獄に堕ちても頑張ってくれ」

俺も適当に頑張る予定だ。

ぼちぼちと頑張ってみる予定なのだ。

なぜかというと——ここに一枚の紙切れがある。

秘密ノートを破り取って作成された契約書だ。その契約書の文面をまっとうするには、頑張るしかない。

＊

あの夜――

俺は飛び、そして着地した。転落事故防止のために、岸壁に張り巡らされていた金網のフェンス。その上にちょこんと着地した。

フェンスは崖《がけ》の岩肌に、「レ」の字になるように埋め込まれていた。綺麗《きれい》な景観を壊さぬよう、わざわざ崖壁に柵《さく》をとりつけるとは、さすがに観光地だ。安全対策にぬかりがないとは、さすがに観光地だ。

泣きたくなった。泣いた。死にたくなった。死ねなかった。

あと一歩足を踏み出せば、今度こそ飛べる。しかし、無理だ。できなかった。両足がガクガクと震えていた。心臓の音が馬鹿みたいにうるさかった。気持ち悪かった。吐き気がした。もういやだった。

だから誰かなんとかしてくれと呻《うめ》いた。俺は死にたいんだとわめいた。つまりいますぐ殺してくれと思った。誰か俺を突き落としてくれと願った。アパートに帰ってひきこもるのも嫌だし、岬ちゃんと顔をあわせるのも嫌だった。ゴタゴタしたことを考えたくはない。

これ以上苦しいことを味わいたくはない。いますぐ死にたい。だから頭をかきむしり、体を丸め、それから仰《の》け反り――しかし滑稽《こっけい》だ。惨めだ。馬鹿みたいだ。びゅうびゅう風が吹くたびに、俺はよつんばいになってフェンスにしがみつく。怖い。落ちるのが怖い。下を見ると寒気がする。金網の下は日本海だ。荒波だ。助けてくれ。いいや、助けるな。笑うなよ。どうすればいいんだ？　ふざけるなよ。見るんじゃない。こっちを見るなよ！なに泣いてんだよ！　泣きたいのは俺の方だ！

「………」

岬ちゃんは崖っぷちから顔を出し、俺を見下ろしていた。

俺は両手で顔を隠した。

どうしていいのかわからなかった。これ以上生き恥をさらしたくはなかった。

岬ちゃんは崖っぷちに寝そべり、手を差し伸べてきた。

俺を助けようとしている。その表情、俺を哀れんでいる。

俺は岬ちゃんの手を振り払うと、岩肌に足をかけ、自力で岸壁を登った。数度、凍った岩肌に滑り、フェンスに尻餅《しりもち》をついてしまった。三度目の挑戦で、二メートルほどのロッククライミングは成功した。

崖っぷちにへたり込んでしまった。

目の前に岬ちゃんが立っていた。彼女は俺の手を取ると、力任せにずんずんと国道の方に引っ張っていった。一刻も早く、崖っぷちから離れようとしているようだった。俺は雪の上を引きずられた。

数分前まで座っていたベンチの前まで到着すると、今度は俺を、叩《たた》いてきた。ぽかぽかと叩かれた。しまいにはがつんとショルダータックルされた。俺は仰向《あおむ》けにすっ転んだ。その上に岬ちゃんはのしかかってきた。俺の胸に顔を埋《うず》め、言葉にならない嗚《お》咽《えつ》を漏らしていた。

いまになって、カッターで切られた右手が痛んできた。

出血は止まらなかった。

岬ちゃんは俺の手のひらを握りしめた。

俺はその手を乱暴に払った。彼女の頰に、血の飛沫《ひまつ》が飛び跳ねた。彼女はそれを拭《ぬぐ》おうともしなかった。俺に馬乗りになり、わめいていた。

俺は岬ちゃんを押しのけた。しかし彼女はマウントポジションを崩さなかった。俺の肩を押さえ込み、ずっとそうして震えていた。震えて拳《こぶし》を振り上げた。俺の胸に叩きつけた。何度も何度も殴っていた。

しまいには、ぼっこんぼっこん顔面を叩かれた。

女は加減を知らなかった。

意識がもうろうとしてきた。

岬ちゃんは拳を振り上げ、「死んじゃダメだよ」と言った。
俺は答えず、黙っていた。すると、彼女はもう一発、俺の顔を叩いた。
「……死なないでよ」
これ以上殴られるのは嫌なので、うなずくしかなかった。
うなずき、なんとか笑顔を作る。
ついでになにか、冗談を言ってみようとした。
無理だった。
声を出して、泣いてしまった。
岬ちゃんは目をそらしてくれなかった。
いつまでもいつまでも俺を見つめていた。

それでも俺たちは、人心地がついた。
このままでは凍死してしまうので、ともかく岬を後にすることにした。
しかし、人生は辛《つら》く苦しい。まったく、いろいろ参ってしまう。だいぶ大変だ。
車道に出た俺は、かなり大変なことに気がついた。
——駅までどうやって帰ればいいんだ？
「タクシーで一時間近くかかったということは——」

「うん、駅まで歩いたら、朝になっちゃうよ」

俺は絶望した。

すると岬ちゃんは、俺を引っ張った。

「近くに廃屋があるんだけど――」

「廃屋？」

「あたしの家」

十分ほど歩くと、その廃屋に到着した。窓ガラスは割れ、玄関の開き戸には大穴が空いていた。

もうすぐ自然倒壊しそうな廃屋で、俺たちは一夜を明かした。

意外にも、それほど寒い思いはしなくてすんだ。

一歩歩くごとに床板が抜ける廃屋で、俺たちはいろいろなことをつらつらと話した。

岬ちゃんは、この家での思い出などを教えてくれた。そのほとんどはかなり悲惨なエピソードだったが、ちょっといい話もあった。

「最初のお父さんがね――顔も覚えてないんだけど――あたしの名前をつけたんだ。すぐ近くに立派な岬があるから、だから岬。ずいぶん適当な命名だよね」

俺は笑ったものだった。

そうしてぼちぼち眠くなってきた。

あと数秒で眠りに落ちるというそのときに、ふいに岬ちゃんは、俺を小さく揺さぶった。

「……結局NHKって、何だったの？」

長い話になるので、繰り返して説明はしなかった。すると岬ちゃんは、毛布代わりに敷いていたコートから身を起こし、鞄《かばん》の中から秘密ノートを取りだした。

「あたしも考えたよ、あたしのNHK」

「はぁ？」

「暗いから、ちょっとライターで灯《あか》りをつけて——と思ったけど、やっぱりストップ！

大丈夫、まっくらでも字は読めるから」

早口でそう言うと、秘密ノートに何かをボールペンで書き込み始めた。

「えーと、よし、これで完成」

そのページを破り、俺に手渡した。

照明は窓から射し込む月明かりだけだった。俺は仰向けになったまま、目を凝らして紙切れの文面を読んだ。

NHK（日本人質交換会）の入会契約書

人質交換会の趣旨

会員同士で人質を交換します。自分の命を人質として、互いに差し出すのです。つまり「あんたが死んだら俺も死ぬぞコラ！」という事です。そうすると、あたかも核保有国の冷戦下における睨《にら》み合いのごとく身動きがとれなくなって、死にたくなっても死ねなくなります。

ですが「あんたが死んだって、そんなのどうでもいいよ」という状況になると、この会のシステムは破綻《はたん》します。そうならないように気をつけましょう。

NHK会長、中原岬

会員一号「　　」

「ほら、早くサインしてよ」

俺はボールペンを受け取った。

しかし、しばし悩んだ。

結局のところ、なにひとつ物事は解決していない。

何かが変わった訳ではない。

前向きに生きていこう？

……バカか！

夢があるから大丈夫？

……夢なんてねえよ！

これからも毎日毎日「もうダメだもうダメだ！」と呟《つぶや》き続けて生きていくのだろう。

それでいいのか？　どうなのか？

「…………」

そんなことをほんの少しだけグチグチと思い悩んでみもしたが、結局俺は、契約書にサインした。

一方岬ちゃんは、鞄に契約書をしまうと、俺の肩を摑《つか》んでぐっと引き寄せた。

至近距離で目が合った。

そうして彼女は、高らかに言い放ったものだった。

「NHKにようこそ！」

ヤケに気負ったその表情に、だいぶ笑いのツボを刺激された。

微妙な笑いの発作に襲われながら、俺は、思った。

……どこまで続くものかは知らないが、できる限りは頑張ろう。

ぼんやりと、そう決心してみた。

NHKの会員ナンバー第一号、佐藤達広の誕生だった。

あとがき

二十一世紀初頭、日本中で「ひきこもり」が大ブレイクした。

僕は目ざとい男だったので、時流に乗って大儲《おおもう》けしようと思った。

「ひきこもり小説を書いて、有名になろう！」「ひきこもり小説でベストセラー作家になろう！」「そしたら印税でハワイに行こう！」「ワイキキだ！」

夢はどこまでも広がった。しかし、いざ書き始めてみると、僕はすぐに後悔した。辛かった。

リアルひきこもり人間が、ひきこもり小説を書くとどうなるか？

必然的に、自らの体験を創作に利用せねばならなくなる。自分のことを書かねばならなくなる。

もちろん小説はフィクションであり、いかに自分と似たキャラクターを登場させようとも、彼は彼で、僕は僕だ。同じ口癖を持っていようとも、同じアパートに住んでいようとも、彼と僕とは何の関係もないのだ。住む世界が違うのだ。

それでもやはり、辛かった。恥ずかしかった。自らの恥を全世界に向けて大公開しているような気分になった。しまいにはパラノイア的な妄想に捕らわれた。

「こんな小説を書いている僕を、皆が陰で嘲笑《ちょうしょう》しているのでは？」本気でそう思った。

事実、いまだに僕はこの小説を客観的な目で読めない。

読み返すたびに軽く錯乱する。冷や汗をかく。

特定の個所にさしかかるたびに、テキストデータが納められているパソコンを、窓から外に放り投げたくなる。また別の個所では、人知れずインドの山奥などに出家してしまいたくなる。

それはおそらく、作中で語られるテーマが過去のものなどではなく、僕にとっては現在進行形の問題だからなのだろう。

「あのころ僕らは若かった」などと遠い目をしてはいられない。

すべてはリアルタイムな問題だった。

だからとにかく、最後まで書いてみた。書けるだけのものを書いてみることにした。

そしてできあがったのがこの小説だ。

赤面しながら読み返してみれば――どうなんだろう？

気分の良い日に読めば「素晴らしい！　オレ天才！」、落ち込んでいる日に読めば「こんなものを書いたオレ最低！　今すぐ死ね！」、そう思います。それでもたぶん「書けるだけのものを書き尽くした」、そのことだけは、おそらく本当だと思います。

さて、みなさんこんにちわ。滝本竜彦です。

二冊目の本の、二回目のあとがきでした。

今回も沢山の方のお世話になりました。この本に関わってくれたすべての方々、そして読者のみなさん、本当にどうもありがとうございました。

まだまだ今後も頑張ります。気合いを入れて頑張ります。

二〇〇一年十二月

滝本　竜彦

文庫版あとがき

「まだまだ今後も頑張ります」と書いてから数年が経過した。私は頑張らなかった。まだ新しい小説を一冊も書いていないのが頑張っていない証拠だ。現在の私は本作の印税に寄生して暮らすニートに成り果てていた。

おそらくトラウマとかそういうヤツのせいだ。そのせいで脳が奇病にかかった。ことあるごとにトラウマを思い出してワーと叫ぶこの奇病、小説を書こうとするたび脳がワーとなるこの奇病によって、昼夜私は脳がワーとなり、そのせいで小説が書けなくなってしまったということだ。本作の執筆過程における限界を超えたストレスが私の脳をパーにしてしまったということだ。つまり私は本作執筆時に味わった恐ろしい恐怖のせいで、もう小説執筆がイヤでイヤで、とにかくもうぜんぜん小説がこれっぽっちも書けなくなってしまったということなのだった。おぉなんという悲劇か！　本作を書いたせいで、才能ある（と自分では思っている）若い小説家が無能になってしまったとは！

これはもう読まねばなるまい。以上のごとき呪《のろ》われた由来を持つ本作には、世にも希《まれ》な闇の魅力が秘められている。よく昔のギャグマンガ家は頭を悪くして失踪《しっそう》したらしいが、彼の精神を破壊した作品には得てして鬼気迫る迫力が籠《こ》もっているものである。本作にもその手の迫力が籠もっているはずなので、どなた様にも自信を持ってお勧めできる自慢の一品といえる。家庭や職場におけるコミュニケーションにも役立つ。「ねえNHKって知ってる?」―「日本《N》ひ《H》きこもり協《K》会だろ。あれ超ウケるよな。でも少し泣けた」等々の会話の接ぎ穂として本作は最適である。あまりに売れている作品の名を出すと恥ずかしいし、かといってマイナーすぎる作品は誰も知らないので、本作ぐらいの位置にある作品こそが真に皆のコミュニケーションに役立つ傑作なのだと言える。さまざまな時事ネタも入っており、若者のイマを考えるにあたっても本作は極めて有用である。本作を読めば現在社会を生きる若者の心が理解できると言われている。年配の方は「そうか! 最近の若者はこんな風になっているのか!」という驚きを持って、作中人物と同年代の方は「わかるわかる! こういうことってよくあるよね!」という共感を持って、楽しく本作を読み進められる。少なくとも値段分の価値はあると思う。「読んで損しない文庫ランキング」では一位を取ること請け合いである。

以上のセールストークを述べるにあたって、私は微塵《みじん》も良心の呵責《かしやく》を覚えてはいない。その点に関しては神に誓って真実であるが、神の存在に関しては確信を持つことが出来ないでいる今日この頃である。

閑話休題。もう春だ。すっかり暖かくなった。窓の外の木に鳥が来る。そういった自然のサイクルを鑑《かんが》みるとき、日常の悩みはいずれ解決するものであるという深い確信が私の胸の内に沸き上がるのである。アイデンティティー。恋。実存。宇宙。神。かくのごとき大いなる謎《なぞ》に対していずれ最終的な答えが与えられる日はきっと訪れるはずなのである。そんな暖かな気持ちを胸に秘め、私はいま生きている。本作を読んだ皆様にもこの感謝の気持ちが届けばいいなと願って、いま私はノートPCをパタンと閉じる。

二〇〇五年四月

滝本竜彦

本書は二〇〇二年一月に刊行された
小社単行本を文庫化したものです。

NHK《エヌ・エイチ・ケイ》にようこそ！

滝《たき》本《もと》竜《たつ》彦《ひこ》

角川文庫 13804

平成十七年六月二十五日　初版発行
平成十八年八月二十五日　八版発行

発行者――井上伸一郎
発行所――株式会社角川書店
東京都千代田区富士見二―十三―三
電話　編集（〇三）三二三八―八六九四
　　　営業（〇三）三二三八―八五二一
〒一〇二―八一七七
振替〇〇一三〇―九―一九五二〇八

印刷所――暁印刷　製本所――本間製本
装幀者――杉浦康平

た 48-2　ISBN4-04-374702-0　C0193

角川文庫発刊に際して

角川源義

第二次世界大戦の敗北は、軍事力の敗北であった以上に、私たちの若い文化力の敗退であった。私たちの文化が戦争に対して如何に無力であり、単なるあだ花に過ぎなかったかを、私たちは身を以て体験し痛感した。西洋近代文化の摂取にとって、明治以後八十年の歳月は決して短かすぎたとは言えない。にもかかわらず、近代文化の伝統を確立し、自由な批判と柔軟な良識に富む文化層として自らを形成することに私たちは失敗して来た。そしてこれは、各層への文化の普及滲透を任務とする出版人の責任でもあった。

一九四五年以来、私たちは再び振出しに戻り、第一歩から踏み出すことを余儀なくされた。これは大きな不幸ではあるが、反面、これまでの混沌・未熟・歪曲の中にあった我が国の文化に秩序と確たる基礎を齎らすためには絶好の機会でもある。角川書店は、このような祖国の文化的危機にあたり、微力をも顧みず再建の礎石たるべき抱負と決意とをもって出発したが、ここに創立以来の念願を果すべく角川文庫を発刊する。これまで刊行されたあらゆる全集叢書文庫類の長所と短所とを検討し、古今東西の不朽の典籍を、良心的編集のもとに、廉価に、そして書架にふさわしい美本として、多くのひとびとに提供しようとする。しかし私たちは徒らに百科全書的な知識のジレッタントを作ることを目的とせず、あくまで祖国の文化に秩序と再建への道を示し、この文庫を角川書店の栄ある事業として、今後永久に継続発展せしめ、学芸と教養との殿堂として大成せんことを期したい。多くの読書子の愛情ある忠言と支持とによって、この希望と抱負とを完遂せしめられんことを願う。

一九四九年五月三日

ごめんなさい。やっぱり私はあいつと戦います。

ネガティブハッピー・チェーンソーエッヂ

NEGATIVE HAPPY CHAIN SAW EDGE

滝本竜彦

Tatsuhiko Takimoto

鬱屈した青春の日々を、謎のチェーンソー男との戦いに消費していく陽介と絵理。ナイフのように哀しく鋭い、青春小説の新たな金字塔。
滝本竜彦鮮烈のデビュー作、待望の文庫化!

カバーイラスト：安倍吉俊　解説：西尾維新

角川書店　滝本竜彦の本　絶賛発売中!!

超人計画

四六判・ソフトカバー・256頁

角川文庫

大ヒット！
超実用的ミステリ・シリーズの
デラックス版登場！

女子大生会計士の事件簿

DX.1 ベンチャーの王子様
DX.2 騒がしい探偵や怪盗たち

山田真哉
イラスト／久織ちまき
角川文庫

会社とお金のビミョーな関係、
私が教えてあげる！
12345678.

角川書店

角川文庫ベストセラー

ロマンス小説の七日間　三浦しをん

海外ロマンス小説翻訳家のあかり。恋人に対するイライラを思わず翻訳中の小説にぶつけてしまって…！　注目作家が書き下ろす新感覚恋愛小説。

月魚　三浦しをん

古書店『無窮堂』の若き当主真志喜とその友人で同じ業界に身を置く瀬名垣。二人は密かな罪の意識を共有してきた。〈解説：あさのあつこ〉

白いへび眠る島　三浦しをん

十三年ぶりの大祭でにぎわう島に流れる噂。【あれ】が出たと…。二人の少年が体験する、夏の冒険譚。三浦しをんの新たなる世界！

GOTH《ゴス》　夜の章　乙一

連続殺人犯の日記帳を拾った森野夜は、死体を見物に行こうと「僕」を誘う…。本格ミステリ大賞に輝いた出世作。「夜」を巡る短篇3作収録。

GOTH《ゴス》　僕の章　乙一

世界に殺す者と殺される者がいるとしたら、自分は殺す側だと自覚する「僕」は森野夜に出会い変化していく。「僕」に焦点をあてた3篇収録。

氷菓　米澤穂信

『氷菓』という文集に秘められた三十三年前の真実——。日常に潜む謎を次々と解き明かしていく奉太郎の活躍。青春ミステリ界に新鋭デビュー！

愚者のエンドロール　米澤穂信

未完で終わったミステリー映画の結末を探してほしい。依頼された奉太郎が見つけた真のラストとは!?　『氷菓』に続く〈古典部〉シリーズ第2弾！

角川文庫ベストセラー

グミ・チョコレート・パイン
グミ編
大槻ケンヂ
五千四百七十八回。大橋賢三が生まれてから十七年間に行ったある行為の数。あふれる性欲と美甘子への純愛との間で揺れる《愛と青春の旅立ち》。

大槻ケンヂのお蔵出し
帰ってきたのほほんレア・トラックス
大槻ケンヂ
①これ、マニアックすぎんなー②エッ？ 俺、そんなの書いてたっけ？ 忘れてた。——という、いろーんなオーケンをてんこ盛りにした究極本！

グミ・チョコレート・パイン
チョコ編
大槻ケンヂ
大橋賢三は高校二年生。同級生と差をつけるため、友人のカワボン、タクオ、山之上とノイズバンドを結成するが、美甘子は学校を去ってしまう……。

猫を背負って町を出ろ！
大槻ケンヂ
暗くてさえなかった中学時代、ロックに目覚めた高校時代、Hのことばかり考えてた専門学校時代、と自らの十代を吐露した青春エッセイ集。

800
川島 誠
まったく対照的な二人の高校生が800mを走り、競い、恋をする——。型破りにエネルギッシュなノンストップ青春小説！（解説・江國香織）

セカンド・ショット
川島 誠
淡い初恋が衝撃的なラストを迎える幻の名作「電話がなっている」をはじめ、思春期の少年がもつ素直な感情が鏤められたナイン・ストーリーズ。

もういちど走り出そう
川島 誠
インターハイ三位の実力を持つ元400mハードル選手が順調な人生の半ばで出逢った挫折と再生を、繊細にほろ苦く描いた感動作。（解説・重松清）